CW00406111

Albert Camus
Louis Guilloux

Correspondance

1945-1959

Édition établie, présentée et annotée
par Agnès Spiquel-Courdille

Gallimard

AVANT-PROPOS

C'était bien une musique que j'entendais et elle ne pouvait venir que de lui. [...] C'était une mélodie très tendre et très douce, très lumineuse, qui me sembla empruntée à des chants d'autrefois que j'avais peut-être connus moi-même, qu'il m'était peut-être arrivé de fredonner par certains jours de bonheur, en marchant sur une route, en voguant sur une barque, une mélodie qui peut-être venait de chez moi, mais qui pouvait aussi être étrangère, mais à travers laquelle, je ne sais par quoi, se mêlait étrangement le mouvement des rames au souvenir de l'aubépine, l'idée d'un destin et la douceur d'une caresse, une réconciliation, je ne savais de qui avec qui[1]...

Louis GUILLOUX

Le 4 janvier 1960, Louis Guilloux s'effondre : il vient d'apprendre la mort accidentelle d'Albert Camus, son ami, son copain (nous dirions : son

---

1. « Le Muet mélodieux », nouvelle dédiée par Louis Guilloux à Albert Camus, dans *Les Œuvres libres, revue mensuelle consacrée à l'inédit*, n° 358, mai 1957, p. 71.

7

pote) ; il part immédiatement pour Lourmarin. Il avait toutes les raisons de penser qu'il mourrait le premier, lui de presque quinze ans l'aîné de celui qu'il n'appelait plus qu'Albert ; l'absence définitive sera blessure irrémédiable.

Ils se sont rencontrés pendant l'été 1945, chez Gallimard, leur éditeur commun. Guilloux a alors quarante-six ans, plusieurs décennies d'engagement et d'écriture, des collaborations régulières à des revues et une œuvre publiée déjà importante — *Le Sang noir* a paru en 1935. Camus a trente-deux ans ; la publication de *L'Étranger* en 1942 et son rôle dans *Combat*, le journal issu de la Résistance, lui valent une notoriété grandissante. Entre eux, les affinités électives s'imposent comme une évidence. Les différences, pourtant, ne manquent pas entre le Breton et l'Algérien — et ne tiennent pas seulement aux ciels qu'ils affectionnent. Tous deux aiment profondément la vie et les hommes ; mais Camus est plus solaire, Guilloux plus habité par le noir ; cependant le premier est rongé par le doute et le second aspire à la lumière.

Leurs différences ne sont rien au regard de ce qui les met en connivence. Tous deux ont eu l'expérience de la pauvreté durant leur enfance, dans des milieux où l'on sait ce que ténacité et fidélité veulent dire ; tous deux ont connu la maladie, qui laisse des traces ; tous deux agissent spontanément pour la justice, la fraternité, mais sans s'affilier à un parti (ou alors, de manière éphémère) ; tous deux ont cet abord chaleureux, direct, qui les rend « aimables » à qui les rencontre : des « merveilles d'hommes » ; tous deux, enfin, ont une même passion de l'écriture, leur *métier* — et, pour eux qui ont grandi au contact de travailleurs manuels, le mot a une résonance très concrète...

Avant de se rencontrer, ils avaient lu les livres de l'autre ; jouant le rôle de médiateur, Jean Grenier, qui, Briochin lui aussi, connaît Guilloux depuis longtemps, et qui a été le professeur de philosophie de Camus à Alger, leur en a conseillé la lecture. Dans l'autre, ils admirent l'écrivain (et tous deux savent admirer !) avant de rencontrer l'homme ; cette haute estime perdurera, sans jalousie, quelles que soient les différences de leurs trajectoires. Il est émouvant de voir Camus en octobre 1946, auréolé par le succès de *L'Étranger* et peinant à écrire *La Peste*, trouver dans *Le Sang noir* des leçons d'écriture romanesque : « J'ai eu honte et je me suis senti très petit garçon. Je ne connais *personne* aujourd'hui qui sache faire vivre ses personnages comme tu le fais. »

Durant les quelque quinze années de leur amitié, l'un et l'autre voyagent beaucoup, à partir d'un port d'attache : Paris pour Camus, Saint-Brieuc pour Guilloux ; mais celui-ci vient souvent à Paris, pour des périodes de plus en plus longues, jusqu'à ce qu'il s'y installe dans sa chambre de « bon » ; les deux amis s'y voient alors quasi quotidiennement. Leur correspondance porte évidemment la trace de ces changements de rythmes. Pour que l'on n'infère pas de la raréfaction des lettres à telle ou telle époque un affaiblissement de leur lien, nous donnons, dans notre Chronologie finale, les nombreux témoignages que nous avons de leurs causeries chez Gallimard, de leurs promenades et repas dans le quartier, de leurs soirées ensemble, souvent chez Camus (et Catherine Camus témoigne, elle aussi, du bonheur de ces soirées familiales illuminées par la tendresse et les talents de conteur de Guilloux). On n'en gardera ici que la notation de Guilloux, le 3 mars 1952 : « Ce matin, comme tous les jours depuis que je suis ici, j'ai passé une heure avec Albert, dans son bureau. Quel ami parfait, et quel homme pur ! Je l'aime tendrement et je l'admire, non seulement pour son grand talent, mais pour sa tenue dans la vie[1]. » D'aucuns trouveront que Guilloux est plus en attente de lettres et de rencontres que ne semble l'être Camus ; mais celui-ci, outre ses activités multiples, se livre moins, y compris dans ses *Carnets* ; et le simple fait que, dans un emploi du temps surchargé, il donne autant de temps à cette amitié en est à soi seul un gage. Ces deux-là sont tout simplement heureux ensemble et savent se le témoigner ; le 2 décembre 1952, Guilloux note : « Albert partait à dix heures et demie pour Marseille, où il s'embarquera pour Alger. Nous nous sommes quittés fort amis en nous embrassant longuement. Il va me manquer beaucoup[2]. »

Deux rencontres sont plus marquantes. En l'espace de quelques mois, Camus et Guilloux passent plusieurs jours ensemble dans la « patrie » de l'autre : Camus séjourne à Saint-Brieuc avec les Grenier pendant l'été 1947 (Yvonne Guilloux, alors adolescente, garde un souvenir émerveillé de son charme et de ses attentions) ; Guilloux se retrouve avec Camus en Algérie en mars 1948, à l'occasion des rencontres de Sidi-Madani, et Camus l'emmène chez sa mère à Alger, ainsi qu'à Tipasa. Jean Grenier, qui reste pour eux une référence

---

1. Louis Guilloux, *Carnets 1944-1974*, Gallimard, 1982, p. 207.
2. *Ibid.*, p. 231.

commune d'estime et d'amitié, se désole de n'être pas avec eux en Algérie ; mais on imagine les longues conversations à trois à Saint-Brieuc et le plaisir de Grenier à recevoir, en février 1952, des vœux d'anniversaire dans un télégramme signé « Louis et Albert ».

Quand ils sont séparés, la distance est palliée par les lettres. Là encore, rien n'est simple : Guilloux se désole (« je ne sais pas écrire des lettres ») et tarde souvent à répondre, ce dont Camus — et Grenier avec lui — ne s'étonne pas, vu la tendance de leur commun ami à la procrastination. Camus, quant à lui, est souvent débordé par les tâches et soucis de tous ordres (par exemple, se loger à Paris, dans l'immédiat après-guerre, quand on a peu d'argent et deux enfants, n'est pas une mince affaire !). Mais, dès qu'ils le peuvent, les deux amis s'écrivent et leurs lettres sont très révélatrices. Elles disent la montée de l'affection : l'usage réciproque des prénoms (« Camus, Albert », écrit Guilloux le 8 septembre 1946, à quoi fait écho dès le 12 septembre un « Guilloux, Louis », tout aussi émouvant) ; le passage au « tu » (Guilloux le propose le 16 septembre 1946 ; Camus, à qui le tutoiement n'est pourtant pas familier, l'adopte au beau milieu de sa lettre du 24 octobre) ; l'apparition des prénoms dans les apostrophes : on passe des formules convenues (« Mon cher Camus », « Mon cher Guilloux ») à des appellations affectueuses : « Mon vieux Louis », « Mon bon Louis », « Mon Albert » et ce « frère » ou « vieux frère », qui résume tout ; les signatures, elles aussi, en viennent aux simples prénoms.

On s'étonnera : jamais de nuages entre les deux amis ? Certes il arrivera à Jean Grenier de rapporter les propos d'un Guilloux qui aurait été déçu par l'attitude de Camus. Les reproches « directs », eux, ne sont jamais que des regrets ; ainsi, quand Guilloux note, le 25 juillet 1954, à un moment où il habite dans l'immeuble Gallimard : « [...] j'ai entendu Auguste crier mon nom. Il m'appelait de la cour. Cela n'arrive jamais. Personne ne vient jamais me voir, pas même Albert qui est si souvent dans la maison[1]. »

Mais, pour l'essentiel, la correspondance nous fait entrer dans la relation limpide — sans doute unique pour ces deux êtres qui ont pourtant beaucoup d'amis — de deux hommes qui sont aussi deux écrivains. Ils sont en totale confiance l'un par rapport à l'autre ; Camus écrit à Jean Guéhenno en octobre 1945 : « J'ai beaucoup de choses en commun avec vous, mais d'abord une fidélité aux mêmes origines. Voilà pourquoi avec vous, Guilloux, ou d'autres, il me semble que je peux laisser parler un peu ce que j'ai de plus profond[2]. » Ils prennent en compte l'ensemble de la vie de l'autre : Camus s'inquiète de l'asthme d'Yvonne Guilloux et des problèmes financiers de Guilloux ; celui-ci observe Camus avec ses deux enfants, Catherine et Jean ; il s'inquiète pour Francine, qu'il aime beaucoup, et suit attentivement l'évolution de sa dépression. Mais ils ont trop de pudeur, l'un et l'autre, pour aborder, dans leurs lettres, des sujets plus intimes. Ils savent accueillir les amis de l'autre : Camus rencontre longuement Liliani Magrini, l'amie italienne de Guilloux, qui écrit un roman qu'elle aimerait publier en France ; il la conseille et l'aide à publier

1. *Ibid.*, p. 319.
2. Fonds Albert Camus, Correspondance générale.

chez Gallimard. Elle traduira *L'Homme révolté* en italien. Les quelques lettres de Magrini à Camus sont empreintes d'une amitié admirative et joyeuse.

À l'intérieur de cette relation confiante, Camus peut évoquer l'intensité de ses moments de dépression et d'angoisse. Guilloux, quant à lui, parvient à revenir sur ce nœud de douleur et de culpabilité que représente pour lui la mort de Palante, le maître devenu ami avant une incompréhensible brouille, et qui s'est suicidé en 1925. Certes, il avait publié, l'année suivante, un opuscule, *Souvenirs sur Georges Palante* ; mais il n'y sondait ni la brouille ni le suicide de Palante. Peu de temps après leur rencontre, Camus évoque l'éventualité de la réédition chez Gallimard de cet opuscule accompagné de textes de et sur Palante, et précédé d'une introduction de Guilloux. En insistant, amicalement mais fermement, auprès de Guilloux pour qu'il écrive ce texte qu'il ne cesse de remettre, Camus sait sans doute qu'il presse son ami de débrider sa plaie. Effectivement, c'est en écrivant une lettre à Camus, le 10 novembre 1946, que Guilloux réussit à reparler du suicide de Palante ; certes, la lettre, qui se noie progressivement dans un flot de détails, ne donnera jamais naissance à un texte publiable ; mais le fait est là : c'est seulement dans l'adresse à Camus que Guilloux a pu reparler de Palante.

Ces deux hommes qui s'écrivent sont aussi et surtout des lecteurs, des auteurs et des écrivains. Ils se parlent beaucoup de leurs lectures ; ils échangent livres et impressions. Camus est aux aguets de textes à publier ou à republier dans la collection « Espoir » qu'il dirige chez Gallimard ; il déborde d'idées. Guilloux lui fait partager sa connaissance des auteurs russes : les lettres des premiers mois sont pleines de leurs découvertes sur les anarchistes russes ; nul doute que cela ne nourrisse la maturation des *Justes* chez Camus.

En tant qu'auteurs, ils sont à des places différentes dans le champ littéraire : même si ce sont tous deux des auteurs Gallimard, Camus occupe très vite dans ce champ une place éminente, couronnée par le Prix Nobel de littérature en 1957 ; ce n'est pas celle de Guilloux malgré son prix Renaudot en 1949. Mais cette différence de statut n'affecte pas leur amitié. Camus est de ceux qui, loin de se griser de leur notoriété, la mettent au service de leurs amis. Il facilite la publication de textes de Guilloux dans des revues ; quand il est sollicité pour participer à la direction d'une revue, toujours il associe Guilloux à l'aventure ; on le voit pour *Empédocle* et pour *Caliban*, où leurs deux noms figurent souvent côte à côte. En janvier 1948, il propose à Jean Daniel la reprise de *La Maison du peuple* dans *Caliban* et écrit alors pour son ami la belle présentation qui deviendra la Préface de la réédition en volume en 1953[1]. Guilloux, de son côté, dédie à Camus en 1957 un de ses plus beaux contes, *Le Muet mélodieux*. Leur correspondance nous donne un aperçu très vivant du foisonnement des revues dans la France d'après-guerre. Mais ils ne s'attardent pas sur les débats idéologiques qui font rage à Paris : Camus parle de *Combat* parce que Guilloux connaît bien Pascal Pia ; il n'évoque pas Sartre et *Les Temps modernes* (notons toutefois qu'en 1952, ils s'écrivent peu car ils se voient très souvent).

Une bonne part de leur correspondance est

---

1. Voir Annexes.

consacrée à leur travail d'écrivain. Même si c'est pour des raisons légèrement différentes, Camus et Guilloux ont en commun de devoir arracher le temps nécessaire à l'écriture ; et ils ne cessent de déplorer, dans leurs lettres, les tâches de toutes sortes, les sollicitations extérieures, qui, en les empêchant de se consacrer à l'essentiel, les dépossèdent en quelque sorte d'eux-mêmes. Ils se parlent de ce qu'ils sont en train d'écrire, s'incitent à travailler, se désolent de ne pas avoir le temps de le faire. Et, tout naturellement, quand la genèse de l'œuvre en cours est achevée, ils se soumettent leurs manuscrits et tiennent le plus grand compte des remarques de l'autre ; on regrette, à cet égard, de ne pas avoir les remarques que Guilloux envoie à Camus, en décembre 1946, sur le manuscrit de *La Peste* qu'il vient d'achever ; et on note avec émotion que leurs deux dernières lettres, en novembre 1959, portent sur *Les Batailles perdues* dont Camus a lu l'épais manuscrit dans ces mois pourtant difficiles pour lui. En se lisant mutuellement, ils trouvent dans les textes de l'ami des échos à leurs propres préoccupations : nul doute, par exemple, que le docteur Rieux de *La Peste* ait rappelé à Guilloux son engagement auprès des réfugiés espagnols dans les années 1930 ; nul doute non plus que les questionnements qui traversent *Les Batailles perdues* aient ravivé chez Camus ses interrogations sur l'histoire et sur les « royaumes » qu'elle promet.

Ils se confient mutuellement des papiers importants : début 1952, Camus dépose chez Guilloux « des cahiers de notes, réflexions, etc. portant les dates 1935-1951 » ; et Guilloux note : « Avant de quitter Paris, j'ai fait une chose que, de ma vie, je n'avais encore faite : enveloppé certains papiers, lettres, carnets de notes, ébauches, etc. avec la recommandation de les remettre à Albert Camus, pour le cas où... ceci, d'accord avec lui, bien sûr[1]. » Chacun compte sur l'autre pour être un exécuteur testamentaire fidèle ; Guilloux le sera après 1960, soucieux avec d'autres des problèmes de publication des textes de Camus, mais présent aussi auprès de Francine Camus dans une droiture affectueuse (voir l'Annexe sur l'affaire de la « Société des Amis de Camus » en 1962).

Camus et Guilloux, chacun à sa manière, sont des hommes engagés — et libres à la fois. Jeanyves Guérin écrit : « Leur fraternité repose sur le sentiment d'une expérience partagée. Ce ne sont pas des sectaires, des idéologues et encore moins des esprits manichéens. Ces fils du peuple se sont sentis mal à l'aise dans les coteries du microcosme littéraire et ont pris le parti des pauvres et des persécutés sans s'inféoder à une organisation qui les représente. Ils ont pris le risque, par fidélité à leurs origines, d'être, l'un incompris, l'autre marginalisé[2]. » Certes, Guilloux n'est pas journaliste ; il est moins que Camus aux avant-postes du débat politique et idéologique de l'après-guerre ; mais lui aussi travaille contre les forces de séparation et de mort qui sont à l'œuvre dans le monde bipolaire de la guerre froide. On ne doit pas s'étonner de la quasi-absence du débat politique dans leur correspondance : leurs lettres se situent à un autre niveau de leur rapport à l'existence. Mais on peut imaginer combien ils ont parlé ensemble de la

1. L. Guilloux, *Carnets*, *op. cit.*, p. 203 et 206.
2. Jeanyves Guérin, « Guilloux et Camus : les raisons d'une amitié », *Louis Guilloux écrivain*, Francine Dugast-Portes et Marc Gontard (dir.), PUR, 2000 (« Interférences »), p. 126-127.

situation politique en France et dans le monde : pour ne prendre que deux exemples, la dictature franquiste ne pouvait être pour l'un et l'autre qu'un crève-cœur ; et l'anticolonialisme viscéral de Guilloux, très net dans ses réactions au cours de son voyage en Algérie pour les rencontres de Sidi-Madani, pouvait trouver des échos — dans ses modalités spécifiques — avec les constats accablés de Camus sur la politique française en Algérie. C'est aussi une même sensibilité à l'injustice, une même fraternité avec tous les opprimés qui faisaient sans doute le bonheur de leur « être-ensemble » ; le bref échange qu'ils ont en 1948 sur la bonté est très significatif à cet égard.

En tant qu'écrivains, ils ont en commun le sens de leur responsabilité, la conviction que l'écriture ne peut s'enraciner dans la haine (même si Guilloux se pense moins apte à parler de ceux qu'il aime) ; la certitude, aussi, que leur mission consiste à rendre compte de la douleur des hommes. C'est en relisant *Le Sang noir* de Guilloux, en octobre 1946, que Camus perçoit combien ce point est central pour son ami. Il note dans ses *Carnets* : « Guilloux. La seule référence, c'est la douleur. Que le plus grand des coupables garde un rapport avec l'humain[1] » ; et dans sa « Présentation de Guilloux » dans *Caliban*, en janvier 1948, il souligne leur accord profond sur ce point : « Un jour où nous parlions de la justice et de la condamnation : "La seule clé, me disait-il, c'est la douleur. C'est par elle que le plus affreux des criminels garde un rapport avec l'humain." [...] Un autre jour, Guilloux observait, à propos de l'humeur railleuse d'un de

1. A. Camus, *OC* II, p. 1075.

nos amis, que le sarcasme n'était pas forcément un signe de méchanceté. Je répondais qu'il ne pouvait passer, cependant, pour le signe de la bonté : "Non, dit Guilloux, mais de la douleur à quoi on ne songe jamais chez les autres." J'ai retenu ces mots qui peignent bien leur auteur. Car Guilloux songe presque toujours à la douleur *chez les autres*, et c'est pourquoi il est, avant tout, le romancier de la douleur[1]. » Ce trait essentiel de Guilloux est si bien passé chez Camus que celui-ci affirme dans une conférence en décembre 1948 : « Les vrais artistes [...] sont du côté de la vie, non de la mort. Ils sont les témoins de la chair, non de la loi. Par leur vocation, ils sont condamnés à la compréhension de cela même qui leur est ennemi. Cela ne signifie pas, au contraire, qu'ils soient incapables de juger du bien et du mal. Mais, chez le pire criminel, leur aptitude à vivre la vie d'autrui leur permet de reconnaître la constante justification des hommes, qui est la douleur. Voilà ce qui nous empêchera toujours de prononcer le jugement absolu et, par conséquent, de ratifier le châtiment absolu[2]. » Nul doute, aussi, que les propos de la conférence de Stockholm, « L'Artiste et son temps », aient puisé de leur force, de leur densité, dans ce que Camus a appris — ou dont il a trouvé confirmation — au contact de Guilloux. L'amitié, c'est aussi ce chant profond qui devient commun.

Agnès SPIQUEL-COURDILLE

---

1. Voir le texte intégral en Annexes.
2. A. Camus, conférence du 13 décembre 1948 à la salle Pleyel, « Le Témoin de la liberté », reprise dans *Actuelles*, *OC* II, p. 494.

AVERTISSEMENT ET REMERCIEMENTS

Pour Camus, les renvois se font à l'édition de ses *Œuvres complètes* dans la « Bibliothèque de la Pléiade » chez Gallimard (I et II en 2006 sous la direction de Jacqueline Lévi-Valensi ; III et IV en 2008 sous la direction de Raymond Gay-Crosier), indiquée par *OC* suivi des indications de tome et de page. Pour Guilloux, dont on n'a pas (encore ?) édité les *Œuvres complètes*, les renvois se font aux publications successives et à ses manuscrits (fonds Louis Guilloux, médiathèque de Saint-Brieuc — cotes entre crochets, commençant par [LG]).

En accord avec les responsables des fonds, et pour éviter des [*sic*] disgracieux, les quelques fautes d'orthographe ont été corrigées, et les usages typographiques (en particulier celui des tirets) ont été modernisés.

Je ne pourrai jamais dire tout ce que ce travail doit à la compétence et à la disponibilité de Marcelle Mahasela et d'Arnaud Flici, respectivement responsables du fonds Albert Camus et du fonds Louis Guilloux ; je dirai seulement qu'ils font admirablement leur métier.

Merci également à ceux qui m'ont apporté leur témoignage sur l'amitié exceptionnelle qui a uni Camus et Guilloux, au premier rang desquels Catherine Camus et Yvonne Guilloux — et aussi Roger Grenier et Yves Jaigu (mort quelques jours après le lumineux entretien qu'il m'avait accordé et dont je salue ici la mémoire).

Merci enfin à tous ceux qui m'ont fourni de précieux renseignements, en particulier Guy Basset et Philippe Vanney — et aussi aux Amis de Louis Guilloux à Saint-Brieuc.

A. S.-C.

CORRESPONDANCE

Jeudi 21 novembre 1945

Cher Camus,

Ceci n'est point du tout la lettre que je comptais vous écrire, et que je vous écrirai d'ailleurs sans tarder, ce n'est qu'un mot pour vous dire que me trouvant assez mal en point par suite d'un coup de froid, j'ai renoncé à la Bourgogne, et suis rentré tout droit à Saint-Brieuc (pour y trouver ma fille malade, autre raison du retard à vous écrire.) — J'étais désolé de ne pas vous revoir et de ne pas aller à Bougival. Mais ce sera pour bientôt — Il va me falloir sans doute retourner à Paris prochainement, et y trouver un toubib qui sache soigner l'asthme, maladie de ma fille[1] — Je crains fort de rencontrer pas mal de difficultés. Les toubibs ne connaissent pas grand-chose à cette maladie-là.

Je n'oublie rien de tout ce que nous avons dit, et j'attache à notre rencontre la plus grande importance — Il y avait longtemps que pareille chose ne m'était pas arrivée. J'ai beaucoup pensé à vous depuis, et je vous ai lu (sauf *L'Étranger*, que j'attends) — De tout cela, nous reparlerons.

Aussi des « anonymes[2] » — Je vous enverrai un texte sans tarder.

Je voudrais bien, également, que vous songiez à retrouver l'article que vous avez écrit sur *Le Sang noir*[3].

À bientôt, j'espère. Je ne puis vous en écrire plus long pour aujourd'hui, pardonnez-moi, et n'y attachez pas d'importance. Je tiens à vous dire, une fois pour toutes, que je suis votre ami.

Louis Guilloux

1. Yvonne Guilloux, née en 1932, aurait besoin d'une cure à cause de son asthme (voir lettre suivante).

2. À de nombreuses reprises jusque début 1947, les deux écrivains évoquent ce projet d'une collection d'ouvrages anonymes chez Gallimard. Camus songe à en faire une série de « Chroniques » incluse dans la collection « Espoir », qu'il dirige chez Gallimard depuis 1945. Le projet ne se réalisera pas. Pourtant, le *Bulletin de la NRF* de juillet 1947 indique, pour la collection « Espoir » : « A) Œuvres d'imagination B) Essais philosophiques C) Chroniques. Dans cette série paraîtront des "Écrits anonymes". » L'annonce n'est plus reprise dans les *Bulletins* suivants. Cependant, l'organisation de la collection « Espoir » en ces trois séries apparaît encore sur les quatrièmes de couverture de plusieurs volumes de la collection jusqu'en 1953 ; d'abord liée à l'idée d'« écrits anonymes », la troisième série ne s'intitule plus que « Chroniques » pour accueillir, en 1950, *Tu peux tuer cet homme…*, *Scènes de la vie révolutionnaire russe*, textes choisis, traduits et présentés par Lucien Feuillade et Nicolas Lazarévitch, avec un Avertissement de Brice Parain (voir la lettre du 8 septembre 1946, note 6) ; à partir de 1953, la notion d'« écrits anonymes » disparaît définitivement.

3. Nous n'avons pas trouvé trace de cet article. C'est d'un texte sur *Le Pain des rêves* qu'il sera question à la lettre suivante, mais Camus ne le retrouvera pas.

7 décembre [1945]

Cher Guilloux,

Merci de votre lettre et du Bakounine[2]. J'ai regretté de ne pas vous avoir à Bougival[3]. Mais je sais que rien n'est facile en ce moment. Je suis heureux, très heureux de ces commencements d'amitié[4]. J'ai cent raisons de me sentir près de vous et j'espère que la vie me permettra de vous le prouver.

La *Confession*[5] est un document extraordinaire. L'explication que donne le traducteur est tout à fait insuffisante. C'est bien plus compliqué que cela et j'y réfléchis sans parvenir à trouver d'interprétation satisfaisante.

N'oubliez ni les anonymes ni votre livre pour la collection[6]. L'article que j'avais fait pour *Le Pain des rêves*[7] se trouve en Algérie, hélas ! Il sera difficile à retrouver.

J'attends votre lettre mais je voulais vous assurer de ma fidèle pensée. Votre ami

Albert Camus

1. La lettre est adressée au « 12, rue Lavoisier » ; pour cette première lettre, Camus s'est trompé : Guilloux n'habite pas au 12 mais au 13 rue Lavoisier ; dès la lettre suivante, l'erreur sera rectifiée. Le papier est à en-tête de *Combat* ; Camus est le rédacteur en chef de ce journal issu de la Résistance, auquel il a commencé à participer dans la clandestinité en 1943.
2. Michel Bakounine (Mikhaïl Aleksandrovitch Bakunin, 1814-1876) est un révolutionnaire russe, théoricien de l'anarchisme et promoteur d'un socialisme libertaire. Guilloux a prêté à Camus la *Confession* de Bakounine (voir note 5).
3. Un peu avant la naissance des jumeaux, Catherine et Jean, le 5 septembre 1945, Albert et Francine Camus se sont installés

à Bougival (26, rue du Chemin-de-Fer), dans une maison au bord de la Seine prêtée par Guy Schoeller, ami de Michel Gallimard. Ils y resteront jusqu'au début 1946.

4. La première rencontre des deux écrivains s'est produite pendant l'été 1945, chez Gallimard, à l'instigation de Jean Grenier.

5. Michel Bakounine, *Confession*, traduit du russe par Paulette Brupbacher, Rieder, 1932. En 1852, prisonnier depuis plusieurs années dans la forteresse Pierre-et-Paul de Saint-Pétersbourg, Bakounine écrit au tsar en feignant le remords pour ses crimes de manière à obtenir sa déportation en Sibérie ; cette lettre lui sera beaucoup reprochée.

6. Camus songerait donc à publier à la fois un livre de Guilloux dans sa collection « Espoir », et un texte du même dans ce recueil de textes anonymes, dont il a le projet.

7. Camus a lu *Le Pain des rêves* de Guilloux dès sa parution. C'est Jean Grenier qui lui signale, le 19 août 1942, ces « souvenirs d'enfance très réussis » ; le 6 septembre, du Panelier (en Haute-Loire) où il vient d'arriver pour se soigner, Camus lui écrit : « J'ai lu le très beau livre de Guilloux. Peut-être son accent m'a-t-il plus touché que d'autres. Je sais aussi ce que c'est. Et comme je comprends qu'aussi à l'âge mûr un homme ne trouve pas de plus beau sujet que son enfance pauvre ! La critique en zone libérée a été stupide pour *Le Pain des rêves*. On dirait que ça les gêne, la pauvreté des autres. Le mieux serait de n'en pas parler ou d'en parler comme les journaux. Et pourtant ! » (Albert Camus et Jean Grenier, *Correspondance 1932-1960*, avertissement et notes par Marguerite Dobrenn, Gallimard, 1981, p. 72 et 75). Même s'il ne dispose plus d'un journal où faire paraître ses comptes rendus, comme il l'a fait en 1938 et 1939 dans le « Salon de lecture » d'*Alger républicain*, il a pu écrire immédiatement un article sur ce livre qu'il aimait. Nous n'avons pas retrouvé ce texte.

3. — LOUIS GUILLOUX À ALBERT CAMUS

13, rue Lavoisier
Saint-Brieuc
26 décembre 1945

Mon cher Camus,

Je pensais bien que la *Confession* de Bakou-nine vous intéresserait. C'est en effet un morceau exceptionnel, morceau d'évidence, mais qu'on ne peut pas nommer. Voilà dix ans passés que j'ai lu et relu ce texte et je me demande toujours : Qu'est-ce que c'est ? — Les vraies bonnes choses sont peut-être celles dont on ne peut pas sortir.

J'ai tardé à vous écrire pour mille raisons, les unes confuses, les autres au contraire très précises, ces dernières tenant à des conditions familiales, matérielles, assez défavorables, et les confuses, à des questions à régler, à des complexes épistoliers (les dits complexes conséquence d'une solitude trop prolongée) je suis toujours dans la crainte que la lettre que j'écris ne soit pas celle qu'il fallait, etc. des bêtises, mais dont il est bon que je vous informe, puisqu'elles me rendent assez mauvais épistolier et, en général, plutôt gauche. Or, je tiens beaucoup à ce que vous ne tiriez pas de conclusions erronées de mes silences et de mes retards. J'espère toujours beaucoup vous revoir à Paris où peut-être je retournerai prochainement, et, quand vous le voudrez, ici. Sachez que la maison est grande, et qu'il est très facile de vous y avoir avec les vôtres.

Il n'est pas question, je pense, de vous *parler*, comme on dit, du *Malentendu* et de *Caligula*[1]. Avant de vous écrire, j'ai voulu encore une fois relire ces deux œuvres et j'y ai passé une grande partie de la nuit, dans la plus vive émotion. Ce dont il retourne, dans l'un comme dans l'autre cas, il me semble bien que je l'ai toujours su et que mon Cripure[2] s'en est toujours douté, que j'ai moi-même cherché et subi cette violence avec, parfois, de terribles chutes. Finalement, il n'y a d'arrangement possible que par ces projections que vous avez si admirablement réussies. J'y ai trouvé de quoi

m'instruire, vous avez partout d'admirables éclats
— comme on dit des éclats de lumière — dont je
ne suis pas prêt [*sic*] d'oublier les lueurs. Peut-être
ne s'équilibre-t-on à l'absurde et par conséquent à
la douleur que par la peinture qu'on en peut faire,
activité qui, elle, par miracle, échappe à la notion
— Mais je m'arrête. Voilà que je commence à me
demander si je dois vous envoyer cette lettre[3] — Un
de mes amis, orientaliste, m'a dit : Le Tao dont on
peut parler n'est pas le vrai Tao. Cette remarque
s'applique uniquement à ce que moi je puis dire.

J'ai grande hâte de lire *L'Étranger*[4] et pour cela
je ne puis compter que sur vous — Dans quelques
jours, je vous enverrai le papier promis sur l'anonyme — Un peu plus tard, j'aurai peut-être un
manuscrit à vous montrer qui lui relève du pseudonyme[5]. Nous parlerons de cela. J'ai vu la veuve
de l'éditeur de ma plaquette *Sur Palante*[6]. Il ne
reste plus d'exemplaires — Elle a tout vendu.
Donc, liberté complète là-dessus — Mais n'est-ce
pas quelque chose de trop mince ? J'aurais naturellement bien des choses nouvelles à écrire sur
Palante, et je vais même le faire, mais je crains
que ces choses soient d'un caractère difficilement
publiable[7]. Je vous enverrai cela.

Avant son départ, j'avais fait lire à Grenier les
Mémoires de Christine de Suède[8], ouvrage que je
trouve extrêmement passionnant. Nous parlions
avec Grenier d'une réédition possible de ces
Mémoires, ce qui, je crois, serait une bonne chose.
Voulez-vous lire cela ? Je crois que ça en vaut la
peine. Si vous me répondez que oui, je vous enverrai aussitôt les deux volumes.

À l'instant, je reçois *L'Existence*, avec votre essai
sur la Révolte[9].

Je vais attendre votre lettre avec grande impatience. Je vous remercie de ce que vous m'avez écrit. J'espère bien, moi aussi, vous montrer que je suis fidèle et que vous pouvez compter sur moi. À bientôt. Votre ami

Louis Guilloux

1. Les deux pièces de Camus, *Le Malentendu* et *Caligula*, ont été publiées en un seul volume chez Gallimard en mai 1944. La première a été créée en juin 1944, la seconde en septembre 1945.

2. Cripure est le sobriquet de M. Merlin, professeur de philosophie, personnage central du *Sang noir*, le grand roman que Guilloux a publié en 1935 ; ses élèves l'appellent « Cripure » parce qu'il cite souvent Kant et sa *Critique de la raison pure*.

3. Nous disposons d'un brouillon de ce paragraphe [LGC 1.1.3. f° 25 verso] ; les quelques différences — ajouts et suppressions — sont très intéressantes. « Il n'est pas question, je pense, de vous *parler*, comme on dit, du *Malentendu* et de *Caligula* — Avant de vous écrire, j'ai voulu encore une fois relire. Et j'y ai passé une grande partie de ma nuit — avec une très vive émotion. Ce dont il retourne, dans l'un comme dans l'autre cas, il me semble bien que je l'ai toujours su et que j'ai moi aussi cherché, subi cette violence — avec, parfois, de terribles chutes. Et, finalement, il n'y a d'arrangement possible que par ces projections que vous avez si tragiquement réussies. J'y ai trouvé de quoi m'instruire — et, partout, d'admirables éclats — je dis ici éclats songeant à des lueurs/révélations — que je ne suis pas près d'oublier. Il y a peu d'œuvres dont je sois sorti [avec tant de fraternité *biffé*] avec le sentiment qu'un frère… Peut-être ne s'équilibre-t-on à l'absurde, et par conséquent à la Douleur que par la peinture qu'on en peut faire, laquelle, par un [*miracle ?*], échappe, elle, à l'absurde — Et cela peut constituer un premier élément de cette éthique dont nous parlions — Vous avez de très grands moyens — mais je sais qu'au fond, ce n'est pas cela qui compte le plus. J'attends de voir comment vous passerez de là à autre chose, à une découverte qui nous fonde. Dois-je vous envoyer cette lettre ? Il est possible que vous ne souhaitiez pas du tout qu'on vous parle de ces "mystères" et je le fais peut-être un peu maladroitement. Dans ce cas-là, pardonnez à une amitié » [le brouillon s'interrompt ici].

4. Le roman de Camus a été publié chez Gallimard en mai 1942 mais la guerre a sans doute empêché Guilloux de le lire.

5. Ce texte promis par Guilloux (voir aussi sa lettre du 11 janvier 1946) et réclamé par Camus (lettre du 5 janvier 1946) est sans doute la nouvelle qui paraîtra dans *Le Littéraire* du 12 avril 1947 sous le titre « Le Nom d'un homme » ; il s'agit d'un homme qui, pour des raisons de sûreté, a vécu toute sa vie sous un pseudonyme et qui, à la veille de mourir, éprouve le besoin irrépressible de reprendre son vrai nom.

6. Guilloux a publié en 1931 une plaquette, *Souvenirs sur Georges Palante* (Saint-Brieuc, O. L. Aubert). Georges Palante (1862-1925) était professeur de philosophie au lycée de Saint-Brieuc, où Guilloux a été répétiteur. D'abord très liés, les deux hommes se sont ensuite brouillés ; ils l'étaient encore lors du suicide de Palante. Le personnage de Cripure dans *Le Sang noir* est largement inspiré de Palante. Cela fait longtemps que Guilloux nourrit des projets à propos de Palante, outre la réédition de cette plaquette ; le 14 avril 1942, il écrivait à Jean Grenier : « J'ai repensé aux *Souvenirs sur Palante*. Il faudrait que ce soit toi qui en parles d'abord à Paulhan, je crois. [...] Je crois bien que des études telles que *La Lenteur psychique*, la *Philosophie des habits*, et, peut-être deux ou trois autres, plus sa brochure à propos des élections de 1919 ou de 1920 (*Du nouveau en politique*) plus la brochure : *Une querelle interrompue* à propos du duel (et peut-être tous les documents sur le duel) composeraient un posthume que tu pourrais établir (ou toi avec moi). » Sur tous ces points, voir la très longue « lettre Palante » que Guilloux écrit à Camus le 10 novembre 1946.

7. Déjà, le 28 avril 1942, Guilloux écrivait à Jean Grenier, dans la perspective de la réédition de sa plaquette sur Palante, qui serait alors préfacée par Grenier : « Un temps, peu après *Le Sang noir*, j'avais eu l'intention d'écrire une cinquantaine de pages qui eussent été une défense de Cripure, et, par biais, de moi-même. On m'a assez accusé en effet d'avoir été un mauvais ami en faisant ce Cripure, dans lequel on n'a voulu voir que Palante, sans consentir à m'y voir, et, bien moins encore, à s'y voir. J'ai laissé ce projet de côté, comme beaucoup d'autres. Et il n'est plus temps d'y revenir. Je t'écris cela en pensant à ta préface, nullement dans l'intention de te demander de faire de cette préface la défense de Cripure à quoi je songeais, mais peut-être pour [que] ne soit pas perdu de vue le lien exact à établir entre ces pages de souvenir et le roman, point qui peut être d'un poids assez considérable dans la conversation avec Gaston. Au reste, il en sera comme tu le décideras, ce que tu feras sera bien fait et très bien fait. Tu ne songes pas un instant bien entendu que je veuille influencer ton point de vue quant à cette préface, etc. Mais cette idée m'étant venue, j'ai cru bon de te la signaler. À toi de juger » [LGC 8.3.7].

8. Scipion Marin, *Mémoires de Christine, reine de Suède*, T. Dehay, 1830. Ces Mémoires, composés par S. Marin, ne sont

en rien de la reine elle-même ; Christine de Suède (1626-1689) fut reine de 1632 (elle avait six ans) à 1654 (où elle abdique) ; très forte personnalité, elle fut en relation avec de nombreux artistes et intellectuels dont Descartes. Guilloux écrit effectivement à Jean Grenier le 21 novembre 1945 : « Ai-je le temps de t'envoyer les *Mémoires de Christine* avant ton départ ? » Grenier lui répond le 25 novembre : « Envoie-moi *Christine* (recommandé) tu as piqué ma curiosité. Puis-je demander de la faire rééditer chez Gallimard avec un avant-propos de toi ? Qu'en penses-tu ? » ; et de Toulon, le 6 décembre, juste avant de s'embarquer : « J'ai reçu *Christine* juste avant de quitter Paris et l'ai lue avec le plus grand plaisir. "L'être le plus volcanisé du monde" dit-elle. Cela m'a plu au possible, sauf les discours. Christine, c'est Casanova femme ou plutôt c'est l'homme et Casanova la femme. Il faut la republier raccourcie » [LGC 8.3.9.]. D'Alexandrie, le 6 janvier 1946, il lui cite un article de Balzac sur l'ouvrage en question et dit son désaccord avec l'avis plus que réservé de celui-ci [LGC 8.3.10]. Mais le projet de re-publication chez Gallimard n'aura pas de suite.

9. « Remarque sur la révolte » de Camus a été publié en août 1945 dans l'ouvrage collectif *L'Existence*, Gallimard, p. 9-23 ; c'est le premier titre de la collection « Métaphysique », dirigée par Jean Grenier (*OC* III, p. 325-337).

4. — ALBERT CAMUS À LOUIS GUILLOUX

5 janvier [1946]

Cher Guilloux,

Je viens de trouver votre lettre au retour d'un petit voyage dans le Midi[1]. J'y ai fait du bateau à voile, sous un soleil incroyable, en bras de chemise, la tête vide et le cœur content. À mon retour, j'ai trouvé un froid de huit degrés au-dessous [*sic*] et je me suis demandé une fois de plus ce que je faisais dans ce pays à gueule d'hôpital.

Mais parlons d'autre chose. J'ai reçu la plaquette sur Palante et je l'ai relue avec la même émotion. Oui, il faut absolument publier cela. Il faut simplement que nous nous entendions là-dessus. Ou bien vous en faites une petite plaquette à tirage limité (par exemple dans la collection des *Lettres à un Allemand*[2]) — ou bien vous attendez d'y joindre les textes sur Palante que vous préparez — ou bien nous demandons un témoignage à Grenier[3] et nous en faisons un des Cahiers de Chroniques de ma collection[4] — ou bien nous publions des morceaux choisis de *Palante* avec votre texte comme introduction, toujours dans ma collection. Choisissez et je m'emploierai à réaliser la chose.

J'attends votre texte sur l'anonyme. J'ai pressenti quelques volontaires pour le premier cahier[5] et j'y ferai sans doute quelque chose. Ensuite, les manuscrits viendront d'eux-mêmes. J'aimerais aussi lire le texte pseudonyme[6]. Si cela ne vous crée pas trop de dérangements, envoyez-moi aussi *Christine de Suède*[7]. Ce que vous m'en dites me rend pressé de le lire. À propos, demandez-moi les livres que vous pouvez désirer dans les nouveautés (avez-vous lu *Le Mas Théotime*, de Bosco[8]. C'est un beau livre, grave.)

Je suis content que le *Malentendu* et *Caligula* vous aient plu. Je me sens plus près de la première pièce que de la seconde. Je sais encore mieux maintenant qu'on ne peut pas être libre contre les autres. Et surtout je sens encore avec plus d'inquiétude combien tout le malheur de l'homme vient de ce qu'il ne sait pas prendre un langage simple. Si le héros du *Malentendu* avait dit « Voilà. C'est moi et je suis votre fils » le dialogue était possible et non plus en porte à faux comme dans la pièce. Il n'y avait plus de tragédie puisque le sommet de toutes les tragédies est dans la surdité des héros. De ce point de vue, c'est Socrate qui a raison contre Jésus et Nietzsche. Le progrès et la grandeur vraie est dans le dialogue à hauteur d'homme et non dans l'Évangile, monologué et dicté du haut d'une montagne solitaire. Voilà où j'en suis, en tout cas. Ce qui équilibre l'absurde, c'est la communauté des hommes en lutte contre lui. Et si nous choisissons de servir cette communauté, nous choisissons le dialogue jusqu'à l'absurde — contre toute politique du mensonge ou du silence. C'est comme cela qu'on est libre avec les autres[9]. Pour le reste, je ne suis pas très sûr de ce que je pense. Mais je vois bien dans quelle voie cela peut pousser : un Tao qui, lui, n'existera qu'à partir du moment où il sera parlé — ou sinon, il faudra mourir vraiment.

En attendant, j'ai l'impression de ne pas vous tenir ce langage simple que je voulais. Mais j'espère que vous me comprenez par-dessus mes maladresses. Au printemps nous nous reverrons peut-être et tout sera simplifié. D'ici là ne doutez pas de ma fraternelle amitié et laissez-moi vous serrer la main

Albert Camus

1. Camus a séjourné à Cannes avec Michel et Janine Gallimard.

2. *Lettres à un ami allemand* a été publié chez Gallimard en octobre 1945 dans la collection « Blanche ».

3. Jean Grenier a été l'élève de Georges Palante au lycée de Saint-Brieuc ; les deux hommes sont devenus amis ; la philosophie de Palante a influencé Grenier, en particulier dans son choix de consacrer sa thèse de doctorat au philosophe Jules Lequier. Dans *Les Grèves* (Gallimard, 1957), Jean Grenier consacre un chapitre à Georges Palante, sous le nom de « Georges Sallan » (p. 316-370).

4. Camus multiplie les projets pour la collection « Espoir » qu'il dirige chez Gallimard.

5. On ne sait pas qui Camus a pressenti pour ce premier « cahier d'anonymes » ; mais c'est seulement le 21 décembre 1946 qu'il écrira à Jean Grenier — lequel donnera son accord.

6. Voir lettre précédente.

7. Voir lettre précédente.

8. Henri Bosco, *Le Mas Théotime*, Alger, Charlot, 1945 (Gallimard, 1952).

9. Avec quelques menues variantes, Camus retranscrit ces phrases (depuis « Tout le malheur des hommes ») dans ses *Carnets* (*OC* II, p. 1039-1040).

5. — LOUIS GUILLOUX À ALBERT CAMUS

Saint-Brieuc, le 11 janvier 1946.
13, rue Lavoisier.

Cher Camus

Votre lettre m'a fait beaucoup de plaisir, vous n'en doutez pas. Je suis ravi pour vous de ces jours de soleil et de bateau, de tête vide et de cœur content. Et comme je comprends que vous détestiez ces grisailles et ces pluies de Paris. Que diriez-vous de la chère Bretagne ! Il faut y être né pour désirer n'y pas mourir, et voilà des années que je ne songe qu'à fuir ma terre natale, sans en entrevoir le moyen. De quoi sommes-nous donc prisonniers ? — Il faudrait pourtant que je songe à mettre de mon côté le plus de chances possible. Dans quatre jours, j'aurai quarante-sept ans. J'y songe avec effroi. La vieillesse, c'est la déportation — la famine, et le massacre — Voilà comment je vois les choses. Au reste, j'espère toujours. J'ai toujours espéré. J'ai toujours adoré vivre — Oui, nous nous verrons au printemps — Je le souhaite beaucoup. C'est très étrange : je me sens avec vous très neuf. Malgré mes quarante-sept chevrons, je me sens, avec vous, comme à dix-huit ans.

Hier, je vous ai envoyé les *Lettres* de Proudhon. J'ai retrouvé par miracle cet exemplaire. Le choix est de moi, les notes de Halévy[1]. L'idée du choix était de donner en même temps une vue biographique. Pour aboutir à ce choix, j'ai lu trois fois les seize volumes in octavo de la correspondance de Proudhon, et j'ai trouvé dans une de ses lettres qu'il se réjouissait en tous cas d'une chose, et c'est à savoir qu'il ne laisserait pas de papiers après sa mort ! Avis !

Ensuite, ou en même temps, je vous ai envoyé les *Mémoires de Christine* — Cela m'avait beaucoup plu autrefois par toutes sortes de raisons que vous verrez et je reste très certain qu'une réédition de ces Mémoires serait très opportune et probablement pas une mauvaise affaire — Je vous demanderai de prendre garde à ce que ces volumes me reviennent un jour, non que je tienne aux vieux livres, je m'en fous assez, mais si on ne devait pas réimprimer, j'aimerais bien avoir ces deux livres sous la main — Vous verrez l'histoire de Fontainebleau, et la mise à mort du perfide amant. C'est un grand morceau. Je prends la précaution de vous demander de veiller sur ces livres parce que, ayant autrefois confié à la maison un exemplaire très rare du *Beethoven* de Wagner, on a bien réimprimé le *Beethoven*[2], mais je n'ai jamais revu mon exemplaire.

Tertio, et ci-inclus, voici le papier sur les anonymes[3]. Ce n'est, bien entendu, qu'une première allusion à la question, et je pense qu'il y aurait lieu de développer. Mais je suis curieux de savoir ce que vous direz de ce papier et, éventuellement, ce que vous y ajouterez. Il va de soi que vous pouvez y introduire toutes les modifications, développements, etc. que vous jugerez à propos, et que mon nom ne figurera pas — J'aurais bien à vous dire sur cette question de l'anonyme, mais je dois y renoncer aujourd'hui, ayant à vous parler de pas mal d'autres choses.

Palante.

Toutes les combinaisons que vous proposez sont possibles, il s'agit de savoir quelle est la meilleure. Je vais de nouveau écrire à Grenier, mais il me paraissait plutôt réticent. Les morceaux choisis seraient une bonne formule, mais pour cela il faudrait avoir tous ses livres, et je ne les ai pas tous — ou plus — et il faudrait se renseigner chez Alcan[4]. Je m'occupe de faire recopier ses lettres. Et j'ai, aussi, pas mal de choses nouvelles à écrire (ou écrites en partie) à son sujet, que je vous communiquerai, mais je me demande si ces pages seront publiables, par leur caractère même, qui relève plutôt du posthume — vous verrez.

J'ai hâte de vous envoyer le manuscrit de ce que j'appelais dans ma dernière lettre le « pseudonyme » et que d'ailleurs je publierai peut-être sous mon nom[5]. Et aussi pas mal d'autres choses écrites des temps derniers. Mais il m'est très difficile de rien achever dans la condition où je suis pour le moment — c'est-à-dire constamment interrompu (même dans cette lettre) — Je traduis le Steinbeck[6] : est-ce qu'il y aurait inconvénient à publier des nouvelles de Steinbeck dans les gazettes, étant bien entendu que les ors seraient pour moi ? C'était une pratique normale autrefois — Aujourd'hui, je ne sais pas — question discrète.

Je vous remercie de m'avoir fait écrire pour *Le*

Voyage en Grèce[7]. Cela m'a l'air très intéressant, et je vais sûrement faire quelque chose.

Pour en finir avec le côté pratique des choses : oui, faites-moi envoyer des livres. J'ai le *Théotime*, que je n'ai pas encore lu, mais que je vais lire. J'ai vu Bosco ici il y a vingt ans, avec Grenier[8] — c'est un beau souvenir. La correspondance doit très mal marcher avec l'Afrique, car je devais recevoir de ses nouvelles dernièrement, et je n'en ai point reçu — Choisissez vous-même les livres à m'envoyer. Cela me fera toujours un très grand plaisir. Sous ce rapport, comme sous tant d'autres, c'est ici la Sibérie.

Comme je suis heureux d'aimer les vôtres, de livres, non seulement du point de vue de ce qu'on appelle un style, et je n'ai rien à vous apprendre sur l'étendue de vos moyens qui sont considérables, mais sur le fond des choses même. Je me fous pas mal de ce qu'on appelle la « critique », vous pensez bien (toujours se foutre le doigt dans l'œil, disait Flaubert) ce qui m'intéresse, c'est un certain résidu — la position de l'homme lui-même, et pour son propre compte, en face des problèmes sérieux. — De ce point de vue, les silences et les [*sons ?*] de *L'Étranger* m'occupent beaucoup. Vous avez réussi là-dedans l'opération pour moi la plus valable, celle qui consiste à faire bouger nos ignorances, signe, pour moi, du plus grand art. Mais peut-être n'aimez-vous pas qu'on vous parle de vos livres. Je vous dis cela parce que c'est mon cas. Très curieusement, après avoir fait un livre, je me suis presque toujours retourné *contre*, parfois assez violemment. Je ne veux pas dire : désaveu. Je veux dire : je me suis retourné contre le livre comme on se retourne contre un adversaire qu'on voudrait voir aux cent mille diables. Quoi qu'il en soit, ma femme, qui est professeur ici au collège, a lu à ses grandes élèves des pages de vos *Lettres à un Allemand*, ce dont je ne vous parlerais pas si je ne n'étais sûr qu'il s'est passé là quelque chose de très sérieux.

À très bientôt. Je pense très fidèlement, et très affectueusement à vous

Votre ami

Louis Guilloux

1. Pierre-Joseph Proudhon, *Lettres choisies et annotées par Daniel Halévy et Louis Guilloux*, préface de Sainte-Beuve, Grasset, 1929.

2. Richard Wagner avait écrit un long texte sur Beethoven pour le centenaire du musicien en 1870. Ce texte, d'abord publié aux Éditions de *La Revue blanche* en 1901, dans une traduction de Henri Lasvignes, avait été réédité chez Gallimard en 1937 dans une traduction de Jean-Louis Crémieux.

3. On trouve dans le fonds Albert Camus (cote CMS2.At 1 — 03.08) le dactylogramme d'un texte sur les anonymes, « Il faut avoir un nom », que Guilloux publiera dans le mensuel *Monde nouveau* en décembre 1955 (donc bien plus tard), dans la rubrique « Le Carnet de notes » (p. 84-93). Est-ce le texte dont il parle ici à Camus ? On y lit en effet : « Il ne s'agit naturellement pas de se servir de l'anonymat pour des fins basses, ce qui n'aurait aucun sens (quoiqu'il ne s'agisse pas non plus de l'exclure), il ne s'agit pas de se cacher dans l'anonymat, mais au contraire de s'y révéler ou d'y trouver ce qui s'y cache, dans un but de connaissance. […] La première chose à faire est d'y [son nom] renoncer. On verra alors *ce qui se passe*. / Il est probable que, dès l'instant où un homme s'exprimera, étant entendu qu'il ne dira pas qui il est (du point de vue de la carte d'identité), de nouveaux champs d'exploration s'offriront à lui, auxquels il n'avait jamais pensé. Prenons soin de préciser qu'il ne s'agit pas ici de l'inavouable : l'inavouable est, premièrement, toujours relatif et, deuxièmement, ce qu'on connaît le mieux. Par conséquent, il ne se pose à son sujet que des problèmes d'expression et de choix. Il s'agit beaucoup plus de *l'inconnu*. / Je voudrais des livres *anonymes*. Les noms des auteurs ne seraient *jamais* révélés, connus de personne, ni aujourd'hui, ni jamais. » Dans

un brouillon, Guilloux avait même écrit : « Je propose une collection d'*anonymes*, mettons une dizaine de volumes par an » [LGO Presse 03.01.88].

4. Félix Alcan (1841-1925) a fondé en 1883 la maison d'édition qui porte son nom ; spécialisée en philosophie et en psychologie, elle a publié les œuvres de nombreux philosophes, dont Georges Palante, dans sa collection « Bibliothèque de philosophie contemporaine ».

5. Voir les deux lettres précédentes.

6. Guilloux est en train de traduire *Les Pâturages du ciel* de John Steinbeck (1902-1968) (*The Pastures of Heaven*, 1932) qui paraîtra chez Gallimard en 1948.

7. « Sortir du Cercle Maudit », *Messages de la Grèce*, numéro spécial de la revue *Le Voyage en Grèce*, juillet 1946, p. 27-28. Dans le même numéro, on trouve également un texte de « Prométhée aux enfers » (p. 17-18, *OC* III, p. 589-592) et un de Jean Grenier, « Une libre sagesse » (p. 36-37). Ce numéro, dont les textes et dessins ont tous des signatures prestigieuses, avait été conçu en cette année 1946, avec un but précis : « [...] se demander si la liberté nouvelle dont nous voulons jouir peut trouver dans l'histoire de la Grèce des antécédents, si les exemples de libération que ce pays a donnés au monde sont toujours valables et si nous pouvons prendre comme modèles des hommes qui ont été les promoteurs des mouvements d'émancipation » (texte signé « La rédaction », p. 2).

8. Henri Bosco (1888-1976) et Jean Grenier se sont connus en Italie dans les années 1920 ; il n'est pas étonnant que le second ait amené le premier à Saint-Brieuc, et lui ait fait rencontrer Louis Guilloux, avec qui il était lié d'amitié depuis 1917. Au chapitre des coïncidences, on notera que, dès les années 1920, H. Bosco s'implique activement dans la restauration du château de Lourmarin, aux côtés de Robert Laurent-Vibert.

6. — LOUIS GUILLOUX À ALBERT CAMUS

6 mars 1946

Mon cher Camus,

J'enrage de ne vous avoir pas encore écrit ; mais il est de fait que depuis mon retour de Paris je ne me suis guère trouvé en état de le faire, que le climat breton porte à la paresse, que je voulais en même temps que je vous écrivais, vous envoyer des textes, que ces textes ne sont pas encore prêts, etc. Et il ne s'est pourtant pas passé un jour que je n'aie pensé à vous. Et à mon très heureux séjour à Paris, et à Bougival[1]. Voilà qu'il ne sera plus jamais question d'aller à Bougival[2] — C'est un regret. Mais il sera, n'est-ce pas, très fort question que vous veniez à Saint-Brieuc, comme il est entendu. Nous vous attendons tous ici avec joie. Ma femme et ma fille sont très impatientes de vos venues, et souhaitent que votre femme puisse vous accompagner. Le printemps commence de paraître. C'est en général une très belle saison en Bretagne. Je me promets de votre venue de très grandes joies. Tâchez de faire en sorte de disposer du plus de temps possible — Michel Gallimard m'écrit que c'est toujours entendu. Il me dit aussi que votre installation commune est achevée, et que l'atmosphère est très agréable. À quoi je lui réponds que je l'envie, que je vous envie, ce qui est bien la vérité. Votre amitié m'est très précieuse, vous le savez[3].

Avez-vous reçu le Savinkov[4] ? Tant que nous sommes sur ces sujets, je vous signale que je possède aussi la brochure aujourd'hui et depuis longtemps introuvable de Plekhanov, *Anarchisme et socialisme*[5]. Cela vous intéresserait peut-être. Si vous me dites que oui, je pourrai vous l'envoyer.

Parmi les textes que je veux vous envoyer, se trouvent quelques pages sur l'*Anonyme* — où en sommes-nous de ce point de vue ?

Quel dommage que je ne sois pas à Paris, que je ne puisse pas, de temps en temps, bavarder avec vous. Les lettres ne sont jamais celles qu'on rêvait d'écrire. À moins que ce ne soit de ma part une infirmité. Mais vous n'en tiendrez pas compte.

À bientôt. Je reste très près de vous. Que votre femme me permette de me dire son ami. Encore une fois, nous vous attendons. Amitiés à Michel Gallimard et à sa femme, sans oublier les deux loupiots.

À vous de tout cœur

Louis Guilloux

Simone Vauchier[6] est courageusement entrée dans le plâtre.

---

1. Début février, Guilloux a passé plusieurs jours à Bougival, où Camus était installé avec sa femme et ses enfants. La sœur de Francine, Christiane Faure, y était aussi, comme en témoigne la dédicace du *Sang noir* (voir Annexes). Camus et Guilloux se sont vus également à Paris ; le 20 février, Camus écrit à Jean Grenier : « Un peu de vous m'est resté ici, avec Guilloux, que j'ai vu longuement plusieurs fois depuis votre départ et avec qui je peux parler de vous comme je le sens » (A. Camus et J. Grenier, *Correspondance, op. cit.*, p. 115).

2. À la mi-février, les Camus ont quitté Bougival et se sont réinstallés à Paris, dans l'appartement de Michel Gallimard, en attendant l'aménagement d'un immeuble de bureaux, rue Séguier (appartenant aux Gallimard), en pièces logeables. Michel Gallimard écrit le 26 février à Guilloux : « Camus est maintenant installé à la maison. Ça s'organise assez bien matériellement et l'atmosphère est très agréable » (L. Guilloux, *Carnets, op. cit.*, p. 40).

3. Quelques jours plus tard, le 7 avril, Guilloux écrit à Jean Grenier : « À Paris, aussi, j'ai revu Camus, nous sommes devenus très copains. Il parle de toi avec une affection très réelle et très profonde. » Le 8 août, Grenier lui répond « Je suis très content que tu connaisses Camus et que tu le voies souvent » [LGC 8.3.10].

4. Boris Savinkov (1879-1925) est un révolutionnaire russe ; il fut l'un des chefs de la « Brigade terroriste », qui commit de nombreux assassinats en 1904 et 1905. Son roman, *Ce qui ne fut pas*, traduit du russe par J. W. Bienstock, avait paru chez Payot en 1921 ; c'est le livre que Guilloux a prêté à Camus (voir sa lettre du 16 septembre 1946 et la note 5). Dans ses *Carnets*, Guilloux écrit, à la date du 24-25 juillet 1946, à propos de ce qu'il

a lu pendant une insomnie : « Le livre était *Le Dernier Roma-nov*, de Rivet, ouvrage hâtif, mais où j'ai tout de même appris qu'Azef, traître par excellence, flic au service de l'Okhrana, agent double, chef des organisations de combat des Socialistes révolutionnaires qui réussirent de nombreux attentats en Russie contre un grand-duc, contre le ministre Plehve, etc. — était décoré de la Légion d'Honneur — Voir les Mémoires du général Guerassimov — chef de l'Okhrana — et le livre de Roman Goul : *Lanceurs de bombes*, et aussi, bien sûr, *Ce qui ne fut pas*, de Boris Savinkov, ouvrage malheureusement introuvable aujourd'hui » (L. Guilloux, *Carnets, op. cit.*, p. 42-43).

5. Georges Plekhanov (1856-1918), *Anarchisme et socialisme* [1896-1897], Librairie de *L'Humanité*, 1923.

6. Nous n'avons pas pu identifier cette amie de Louis Guilloux.

7. — ALBERT CAMUS À LOUIS GUILLOUX[1]

Vendredi [8 mars 1946]

Cher Guilloux,

Je pars dimanche pour l'Amérique[2]. J'en reviendrai fin mai. Le départ est précipité, mais depuis que je me connais tous les départs sont précipités. Ça m'empêche de savoir si je suis content ou non.

Je voulais seulement vous en avertir et vous dire de ne pas douter de mon souvenir et de mon amitié pendant ces deux mois. Nos dernières journées étaient encore meilleures que les premières. C'est du moins mon avis.

Portez-vous bien et travaillez. Pensez à *L'Arche*[3], voulez-vous ? Je vous serre les mains, affectueusement

A. Camus.

Merci pour Savinkov, pas encore lu.

1. Papier à en-tête de la NRF Librairie Gallimard.

2. Invité par son éditeur américain, Camus embarque le 10 mars 1946 pour des conférences et des rencontres ; il reste presque trois mois aux États-Unis, avec un court passage au Québec. Voir les longues notes de ses *Carnets* pendant cette période (*OC* II, t. II, p. 1046-1064).

3. *L'Arche* est une revue mensuelle fondée à Alger en 1944 sous le patronage d'André Gide par les soins de Jean Amrouche et Jacques Lassaigne ; éditée par Edmond Charlot, elle publie vingt-huit numéros (dont deux doubles) jusqu'en juin 1947. En février 1946, elle se dote d'un comité de direction composé de Maurice Blanchot, Albert Camus et Jacques Lassaigne ; le rédacteur en chef est Jean Amrouche. Camus demande ici à Guilloux de proposer un texte à la revue. Guilloux tardera à répondre : le 23 septembre 1946, il note dans ses *Carnets* : « Achever — si possible — la "dernière cartouche" envoyer à Camus pour *L'Arche* » [LGO CII 02.02.10 bis f° 24]. En décembre 1946, il dit à Paulhan qu'il a envoyé à *L'Arche* une des « nouvelles » du recueil de Steinbeck qu'il est en train de traduire (voir la lettre du 16 septembre 1946). *L'Arche* publiera en mars 1947 (n° 25) la traduction par Guilloux de ce texte, « Le Requin », qui constitue en fait le troisième chapitre de l'ouvrage ; ce que Guilloux désigne comme la « dernière cartouche » peut correspondre au cinquième chapitre.

8. — LOUIS GUILLOUX À ALBERT CAMUS

8 septembre 1946

Mon cher Camus,

Un mot de nouvelles de votre part serait pour moi une bien grande joie, surtout si vous deviez m'y annoncer que nous nous reverrons bientôt. Vous savez que je vous attends toujours ici quand il vous plaira d'y venir[1]. Quant à moi je ne songe qu'à la montagne, et je me sens ivre de rage de ne pouvoir y conduire ma fille, qui fait crise d'asthme sur crise d'asthme — Mais pardonnez-moi, je ne veux pas geindre — Mieux vaudrait inventer quelque chose, n'est-il pas vrai ? Comment vont les Comiques[2] ? Finalement, j'aime beaucoup les gosses — tout en sachant à quoi m'en tenir là-dessus aussi.

Avez-vous travaillé ? Où en est *La Peste* ? Et quand verra-t-on paraître le livre[3] ?

Pour moi, j'espère en finir bientôt avec un gros roman — cette double chronique dont je vous ai parlé[4], dont j'aimerais parler avec vous un peu plus à fond.

Où en sommes-nous question anonymes ?

Je vais vous écrire cette lettre à propos de Palante[5].

Êtes-vous à Paris ? Si oui, pouvez-vous songer à me faire passer cet ouvrage d'un ex-commissaire du peuple, je crois, contenant des textes sur Azef, et la photo du dit[6] ? — Curiosité toujours très vive de ma part.

Camus, Albert, je ne vous écris pas comme je voudrais le faire parce que je ne sais pas écrire des lettres — Mais je suis toujours très près de vous.

Grenier est au Liban[7], chez des curés pères de familles nombreuses. J'aurai passé la plus grande partie de ma vie séparé de Grenier.

À bientôt. Je ne sais quand je retournerai à Paris. Écrivez-moi. Saluez de ma part votre femme, et les Gallimard. Je vous serre très affectueusement la main

Votre ami

Louis Guilloux

J'achève la traduction du très beau Steinbeck.

1. Guilloux avait espéré cette visite pour juillet ; il avait noté dans ses *Carnets* : « Rentré de Dinan, je trouve un mot de Jean m'annonçant sa venue et celle de Camus pour les premiers jours

du mois d'août » (p. 44). Cette visite de Camus et de Grenier à Saint-Brieuc n'aura lieu que l'été suivant.

2. C'est l'un des surnoms que Camus donne à ses jumeaux, Catherine et Jean, nés en 1945.

3. *La Peste* paraîtra en juin 1947. Camus en a le projet en tête depuis 1941 et il y travaille depuis 1942 ; sur cette « gestation longue et difficile », voir la notice de Marie-Thérèse Blondeau (*OC* II, p. 1133-1169).

4. *Le Jeu de patience,* ce gros roman auquel Guilloux travaille depuis longtemps, paraîtra en 1949 chez Gallimard. Le narrateur y tente une manière de chronique multiple de la ville de Saint-Brieuc.

5. À propos de cette lettre sur Palante, Guilloux écrivait à Jean Grenier, le 25 août 1946 : « Comme tu le sais, Camus m'a demandé de rééditer les *Souvenirs sur Palante.* Je me propose, le moment venu, de faire précéder ces souvenirs d'une lettre, où je dirais ce qui me reste à dire pour le moment sur Palante, lettre qui serait adressée à Camus, mais je ne m'y suis pas encore mis. Je crains que cela soit difficile surtout à cause des révélations par trop intimes que je serais amené à faire au sujet de Palante. Mais quand j'aurai écrit cette lettre, je te la communiquerai en même temps qu'à Camus et nous déciderons ensemble » [LGC 8.3.10].

6. Il s'agit de *Tsarisme et terrorisme. Souvenirs du Général Guérassimov, ancien chef de l'Okhrana de Saint-Pétersbourg (1909-1912),* avec dix gravures hors texte, traduit du russe par Thérèse Monceaux, Paris, Plon, 1934. Les chapitres 21 et 22 (p. 209-231) portent sur Azef, dont la photo « au milieu d'un groupe de terroristes » figure bien à la page 225. Camus l'envoie en octobre à Guilloux, qui le lit et le lui commente en novembre (voir lettres suivantes). Yevno (ou Evno) Azef (1869-1918) est un agent double russe : très actif dans les rangs des socialistes révolutionnaires, dont Savinkov, il était en même temps indicateur de police, ce qui amena l'arrestation et l'exécution de nombreux militants. Guérassimov en donne un portrait tout en nuances. Guilloux et Camus resteront fascinés par cet étrange personnage. En 1950, dans la série « Chroniques » de sa collection « Espoir » chez Gallimard, Camus fera paraître *Tu peux tuer cet homme…, Scènes de la vie révolutionnaire russe,* textes choisis, traduits et présentés par Lucien Feuillade et Nicolas Lazarévitch, avec un Avertissement de Brice Parain ; l'avant-dernier récit, « La provocation de Petrov » (reprise d'un article paru en Russie en 1910 dans *Le Drapeau du travail,* organe du Parti socialiste révolutionnaire), raconte la « contre-provocation » de ce dernier, « réponse insensée » à la provocation policière d'Azef ; le fait est confirmé par le général Guérassimov.

7. Voir la lettre de Guilloux datée du 16 septembre, où il donne à Camus l'adresse de Grenier au Liban. Jean Grenier est

en Égypte depuis décembre 1945 ; il a été nommé à la faculté des lettres de l'université Farouk Ier à Alexandrie. Sans doute a-t-il profité des vacances pour aller au Liban, avant de regagner son poste à la rentrée 1946.

9. — ALBERT CAMUS À LOUIS GUILLOUX[1]

12 septembre [1946]

Cher Guilloux[2],

Je suis bien coupable, mais les choses ne vont pas fort pour moi. Je suis revenu d'Amérique avec l'unique désir de me mettre au travail. J'ai quitté Paris pour la Loire[3] et j'ai travaillé comme un forçat pendant un mois. Au bout du compte, j'ai fini *La Peste*. Mais j'ai l'idée que ce livre est totalement manqué, que j'ai péché par ambition et cet échec m'est très pénible. Je garde ça dans mon tiroir, comme quelque chose d'un peu dégoûtant.

Je pars sans doute à la fin du mois (vers le 20) en Afrique du Nord et en reviendrai le 10[4], mais je le fais sans en avoir envie. Ainsi de tout. Je voudrais quitter Paris définitivement et vivre à la campagne, pour réfléchir et travailler si je le puis. À part cela, je n'ai pas d'autre désir. Mais il y a la question bifteck.

Enfin vous connaissez peut-être ce genre d'état. Et il vaut mieux parler d'autre chose. Question anonymes[5], je n'ai encore reçu aucun texte. Les gens sont excités par le projet mais je suppose que l'idée qu'ils ont de leur personnalité est la plus forte. Je relance les coupables et j'attends. J'attends aussi votre lettre sur Palante et je ferai commencer le volume. N'oubliez pas que j'attends enfin la chronique, simple ou double, pour ma collection.

Je ne sais pas de quel livre sur Azef vous voulez parler. Ce n'est pas celui de Romain Goul *Lanceurs de bombes*[6] ? Ne m'aviez-vous pas dit que vous l'aviez lu. Si c'est donc autre chose, renseignez-moi précisément et je vous l'enverrai aussitôt

Le Savinkov est passionnant. Accepteriez-vous de le préfacer en mettant l'accent sur le problème du meurtre et sur notre incertitude présente ? Cela pourrait faire un très bon volume pour la collection[7].

Je n'ai pas écrit à Grenier et je ne sais pas pourquoi. Il n'a jamais su quelle profonde amitié j'avais pour lui. Ce n'est pas un silence comme celui-là qui l'aidera à le savoir. Avez-vous son adresse actuelle.

Guilloux, Louis, je voudrais bien vous voir. Mais en ce moment il doit trop pleuvoir chez vous et j'ai envie de soleil et de satisfaction. Venez donc quand vous pourrez.

Pour votre fille, j'imagine que c'est une question d'argent[8]. Je puis vous en faire l'avance si vous le désirez. Ce sont des choses qu'on accepte simplement quand elles viennent d'un ami. Par ailleurs, vous pourriez faire quelques éditoriaux pour *Combat* (trois pages dactylographiées deux interlignes, au maximum) qui vous seraient payés trois mille francs l'un.

J'attends vos réponses, ou vous de préférence. Mes amitiés à votre femme et à votre fille. Et pour vous ma fidèle affection

Albert Camus

P-S. Je ne pars pas en Afrique du Nord. Mon médecin me l'interdit, parce qu'on arrête en ce moment un pneumothorax que j'ai depuis quatre ans, et m'ordonne des précautions pendant quelques mois.

1. Papier à en-tête de la NRF Librairie Gallimard.

2. Guilloux fait taper cette lettre et envisage de la publier dans ses *Carnets* : comme à son habitude, il la découpe et la colle sur une feuille avec des indications de mise en page ; mais finalement, il ne la garde pas pour la publication [LGO CII 01.01 f° 26-27].

3. Camus et sa famille ont séjourné longuement en Vendée chez la mère de Michel Gallimard ; Camus y a travaillé à *La Peste*.

4. Ce voyage sera annulé pour raisons de santé ; voir le post-scriptum de la lettre.

5. Voir lettres précédentes. Le projet, dont les deux amis parlent depuis leur première rencontre, ne se réalisera pas.

6. Roman Goul, *Lanceurs de bombes. Azef*, trad. de l'allemand par N. Guterman, Gallimard, 1930. Dans son « Avant-propos », R. Goul qualifie son ouvrage de « roman documentaire », les personnages y apparaissant sous leurs vrais noms. Aux côtés d'Azef, Boris Savinkov y est un personnage central ; on y rencontre aussi « le terroriste Kaliaév », celui dont Camus fera le protagoniste des *Justes* en 1949.

7. Ce projet de republier *Ce qui ne fut pas* de Savinkov chez Gallimard ne se réalisera pas. Mais Camus posera cette question du meurtre dans *Les Justes* (1949) et dans *L'Homme révolté* (1951).

8. De fait, Guilloux écrit dans le manuscrit de ses *Carnets*, le 25 septembre 1946 : « Je n'ai rien fait du tout, depuis qu'Yvonne est malade. Le souci de ma fille me mobilise entièrement. Cependant, je me fais des reproches de ne pas assez travailler, et, par conséquent, de ne pas gagner assez d'argent pour la soigner largement et, par exemple, l'envoyer dans la montagne, puisqu'on me dit qu'à deux mille mètres il n'y a plus d'asthme pour personne » [LGO CII 01.01 f° 33].

Lundi 16 septembre 1946.

Bien cher Camus,

Je crois bien connaître le genre de difficultés que vous éprouvez à la suite de *La Peste*, et je sais qu'il est très difficile de s'arranger avec ça. États particulièrement désagréables et bouchés, sur lesquels on n'a pas de prise et qui font bien la preuve, à mon avis, que le « poète » se joue à chaque entreprise sérieuse qu'il tente. D'après moi, et d'après ce que j'ai éprouvé, la meilleure politique en ces matières est la politique du *laisser faire*. Je n'ai pas l'intention de vous entretenir longuement d'un sujet qui vous est pénible, je crains aussi de vous dire des choses qui ne recoupent nullement votre propre expérience (nous sommes ici sur un sujet ultra difficile et délicat) mais il me semble pourtant que cet état de désaffection et de retournement contre une œuvre, dans la mesure même où il appartient au *mouvement* de cette œuvre, je veux dire : dans la mesure où il est une suite de ce mouvement et par conséquent participant du même, ne doit pas être envisagé séparément. La meilleure pratique consisterait peut-être à s'interroger sur ce retournement, considéré dès lors comme une matière propre et neuve, et à remonter ainsi jusqu'à un point d'origine d'où (à partir duquel) tout pourrait se recomposer dans l'ordre. C'est ce que je vous dirais si j'étais à côté de vous, et c'est ce que je me hasarde à vous écrire, tout en me rendant parfaitement compte combien l'écriture donne de raideur et de quasi pédantisme à mon expression. Je vous conterai un jour ce qui m'est arrivé avec *Le Sang noir* (il est vrai *après*). J'ai cru littéralement crever. Il me semble que l'histoire de chaque œuvre où l'on s'est engagé à fond mériterait d'être explorée ; également à fond. — Je suis très près de vous dans cette épreuve — Je tiens à ce que vous le sachiez — Ce que vous me dites de votre santé m'inquiète — Je comprends que vous ne puissiez venir à Saint-Brieuc, où, s'il ne pleut pas tous les jours, il ne fait tout de même pas un temps assez sûr pour qu'on puisse vous y conseiller un séjour. Sans trop croire aux médecins, il faut tout de même être prudent. Je suis passé par là il y une vingtaine d'années[1]. On ne m'a pas fait de pneumo, on m'a collé dans la montagne, d'où je suis d'ailleurs foutu le camp, et tout, ensuite, a paru s'arranger ; mais je doute d'avoir eu complètement raison et si j'étais à recommencer, je crois que je serais à la fois plus prudent et plus obéissant — Que je regrette de ne pas vous avoir près de moi ! Chaque ligne que je vous écris en ce moment se multiplie au fur et à mesure dans mon esprit, de mille souvenirs et idées dont je voudrais vous faire part. Paris n'est pas un séjour, et c'est pourtant le seul possible en France — Notions contradictoires. Mais on peut se soigner même à Paris à condition de régler sa vie sur le mouvement des horloges. Vous songez à quitter Paris définitivement, me dites-vous. Bien, je vous approuve, mais prenez garde à ce qui se passera ensuite. Cela mérite réflexion. J'ai horreur de vous dire à chaque instant que moi aussi je suis passé par là — Mais c'est pourtant un fait, issu d'un autre, qui est que je vous précède d'une bonne quinzaine d'années, je crois, dans cette drôle d'existence. Or, il est important d'apprendre de très bonne heure à vieillir, et j'ai bonne mine à vous écrire cela, car je n'ai rien appris de tel — Le bon sens ne serait-il pas de vivre dans la proximité de Paris, de se donner toute la retraite dont on a besoin, tout en gardant à portée de chemin de fer, toutes les possibilités d'échange qui sont nécessaires ? L'excès de solitude est un grand mal, quand on vit à Paris depuis quelque temps, la tentation est puissante, mais la réclusion dans les départements, la Sibérie dans les préfectures peut aussi être mortelle.

Tout ce que vous m'écrivez me donne encore plus envie d'aller vous voir à Paris, mais avant de pouvoir partir, il faut qu'un certain nombre de questions soient réglées, dont la première est l'achèvement de la traduction Steinbeck[2]. Je ne veux absolument pas me présenter chez Gaston sans lui apporter un manuscrit, fût-ce la traduction, puisque mon « roman » n'est encore pas achevé — Cela peut demander encore quelques semaines. Mais c'est la première chose à faire. Ensuite il me faudra songer à organiser l'hiver de mes deux régulières. Pour le moment, c'est la nuit. Mon cher Camus, Albert, je suis très heureux de la proposition que vous me faites de m'avancer l'argent qui pourrait m'être nécessaire. Ne doutez pas une seconde que, si cela devient nécessaire, je vous le dirai. Merci. Mais, pour le moment, je compte sur la publication de quelques nouvelles et d'autre part, sur celle, je ne sais où, de la traduction Steinbeck. Il était d'usage autrefois dans l'honnête corporation où nous sommes, que les ors provenant de la publication dans les gazettes des traductions, revenaient entièrement au traducteur, sans que jamais l'éditeur eût à y fourrer sa pince — Si telle est encore la situation, le Stein-beck pourrait bien me rapporter assez d'argent pour que l'hiver à la campagne, à la montagne, je ne sais où, mais pas au bord de la mer, pût être assuré aux deux susdites. Dans ce cas-là, tout ira bien. Dans le cas inverse, j'aurai recours à vous. Tant que nous sommes sur le sujet, et m'excu-sant de vous entretenir si longuement de moi, que dites-vous de proposer ce machin[3] à *Terre des hommes* ? J'ai reçu une lettre de Saillet[4]. Il me dit que vous lui avez promis des papiers ? — Pour ce qui est de *Combat*, rien de mieux — Mais ne pourrait-on me faire pendant quelque temps le service du journal, afin que je puisse plus exac-tement me rendre compte de ce que sont leurs éditoriaux ? — Il est vrai que je pourrais fort bien acheter le journal à Saint-Brieuc ; ceci est du pur bavardage. Parlons d'Azef et de Savinkov. Je savais bien que vous trouveriez passionnante la lecture de *Ce qui ne fut pas*[5] — et je suis content de voir que vous songez à rééditer le volume. J'en ferai volontiers la présentation, mais je crois que l'homme le mieux désigné pour cela est Malraux, s'il acceptait. Mettre l'accent sur le meurtre : oui. Une question pour moi très importante est celle de savoir ce qui précède la volonté de terrorisme chez le terroriste lui-même, notamment chez Savinkov. J'ai eu longtemps une photo de Savinkov (photo d'agence, Savinkov devant ses juges) comme je regrette de ne l'avoir plus — Vous connaissez naturellement la suite de l'aventure, la lutte contre les bolcheviks, l'échec, etc., et le suicide (en se jetant par la fenêtre de sa prison). — Il faudrait peut-être avoir quelques documents là-dessus, pour bien faire ? — Une autre question, c'est :

pourquoi le terrorisme ne s'est-il jamais exercé que dans un sens, je veux dire : pourquoi n'est-il pas venu à l'esprit de Savinkov (et des autres) de tourner leurs bombes sur le prolétariat une fois sur deux ? Il n'y a après tout pas plus de raison pour épargner les prolétaires qui consentent à leur destin qu'il n'y en a pour épargner un grand-duc. — Ce qui serait très passionnant, aussi, serait de faire rechercher les journaux de l'époque du procès Azef à Paris ? — Et, à propos d'Azef, vous m'avez bien parlé d'un volume sur le dit contenant au moins une photo. Mais j'ai beau faire de grands efforts de mémoire, je ne retrouve aucun titre — Tout ce que je puis dire c'est : un volume contenant une photo d'Azef. (*Les Lanceurs de bombes*[6], que j'ai lu et relu, ne contiennent pas de photos, ce qui est très regrettable.)

Ma lettre s'allongeant interminablement, je vais répondre brièvement aux dernières questions : Adresse de Grenier : chez le père Joseph Tarek, à Bécharré, Liban nord — Mais à moins d'avion ultra rapide, car : à partir du 21 septembre : Jean Grenier, Faculté des Lettres — Université Farouk Ier — Alexandrie.

Palante : serait-il possible de songer à deux ou trois photos ? Je ne sais pas pourquoi j'hésite tant à me mettre à cette lettre[7] — quelque chose me fait peur. Le bon sens serait de l'entreprendre à l'instant, dans la suite de celle-ci. Vous connaissez cette disposition où l'on attend que l'instant d'entreprendre vous soit signifié.

Mon cher Camus, je ne relirai pas ma lettre — Sachez-moi très près de vous. Ma femme et ma fille vous font des amitiés, et aux vôtres. Moi de même. Mon affection pour vous est profonde.

Je voudrais bien que nous passions du vous au tu
— À bientôt — Toujours

Louis Guilloux

1. Guilloux a connu, au second semestre de 1927, un grave épisode tuberculeux dont il s'est bien remis ; c'était la résurgence, sous une autre forme, de la tuberculose osseuse qui, dans son enfance, lui avait laissé la main gauche déformée et raide.

2. Le 21 décembre 1946, Guilloux écrit à Jean Paulhan : « Me souvenant que vous m'avez demandé de vous envoyer un texte, il me vient à l'esprit de vous proposer quelques pages du Steinbeck que je viens de traduire pour les Éditions. Il s'agit de *Pâturages du ciel*. C'est un très beau livre, composé d'une suite de "nouvelles" qui ne tiennent les unes aux autres que par un fil à peine visible. Rien ne serait donc plus facile que de choisir l'une ou l'autre de ces nouvelles, cela ne ferait pas du tout "extrait". Si vous me dites que vous êtes d'accord, je vous enverrai un texte par retour du courrier. Mais il faudrait que la publication se fasse assez vite, Gaston se disant pressé de publier le volume. Naturellement, je préférerais vous envoyer quelque chose de moi. Toute modestie mise à part, je le ferai sans tarder. Mais je suis devenu plus que timide à l'égard de mes propres écrits, et je ne sais plus me décider à choisir dans mon fatras, c'est une espèce de maladie. [...] Il faut que je vous dise que j'ai proposé une des nouvelles de Steinbeck à *L'Arche*, ce qui, peut-être, modifiera votre point de vue » (Jean Paulhan et Louis Guilloux, *Correspondance 1929-1968*, Publication du centre d'étude des correspondances et journaux intimes, 2010, p. 148-149). *L'Arche* publie « Le Requin » de Steinbeck, traduit par Guilloux, dans son numéro 25 de mars 1947 (p. 10-30). *Les Pâturages du ciel* [*The Pastures of Heaven*, 1932] paraîtra chez Gallimard en 1948.

3. Il s'agit sans doute du texte intitulé « Deux mille mots » ; le 23 septembre 1946, en effet, Guilloux écrit dans le manuscrit de ses *Carnets* : « Pour *Terre des hommes*, envoyé à Maurice Saillet : "Deux mille mots" » [LGO CII 02.02.10 bis f° 24]. Le manuscrit de ce texte a été inséré dans celui du *Jeu de patience* [LGO JdP 13.02.01 f° 89 à 92] ; mais il n'a pas été repris en tant que tel dans le roman.

4. Entre septembre 1945 et mars 1946, *Terre des hommes*, « Hebdomadaire d'information et de culture internationales », avait publié vingt-trois numéros sous la direction de Claude Bourdet, Jacques Baumel et Pierre Herbart ; Maurice Saillet y était chargé des pages littéraires ; Camus et Jean Grenier y

avaient publié des textes. En août 1946, M. Saillet tente de relancer la revue ; le 25 août, Guilloux écrit à Jean Grenier : « Il paraît aussi que *Terre des hommes* va reparaître. Je reçois une lettre de Saillet me demandant un papier (Saillet, 18 rue de l'Odéon à partir du 2 septembre). Je m'aperçois que j'aurai désormais la plus grande facilité pour publier mes papiers, [...] » [LGC 8.3.10]. La réponse de Camus, le 24 octobre, indique l'échec de Saillet, qui signe également la fin des espoirs de Guilloux.

5. *Ce qui ne fut pas*, roman de Savinkov que Guilloux a prêté à Camus (voir la lettre du 6 mars 1946 et la note 4).

6. Voir lettre précédente.

7. Guilloux note dans ses *Carnets*, le lundi 23 septembre 1946 : « Me mettre à la lettre sur Palante (pour Camus) [...] Il faudrait écrire ces souvenirs américains et espagnols — de même que la lettre à Camus, sur Palante, très vite, pour *publier* » [LGO CII 02.02.10 bis f° 24].

11. — ALBERT CAMUS À LOUIS GUILLOUX[1]

Jeudi 24 octobre [1946]

Cher Guilloux[2],

J'ai bien mal répondu à votre longue et affectueuse lettre. Mais vraiment ça n'allait pas et vous savez ce que c'est : quand on n'a pas de goût pour les gémissements, on se met en rond, on se tient tranquille et on attend que ça passe. Est-ce passé ? Ce n'est pas sûr. Mais j'ai lu et relu votre lettre et elle m'a fait du bien. Sur un point au moins je vais suivre votre conseil : j'essaie en ce moment de louer une petite maison dans le Vaucluse[3] et mon intention n'est plus de m'y retirer, mais de partager mon temps entre Paris et cette retraite. Cela représente quelques difficultés matérielles, mais les difficultés matérielles ne sont pas les principales. Quant à *La Peste*, elle est maintenant tapée. Je la relirai dans un mois, y ajouterai ce qu'il faut, et je vous l'enverrai pour un premier et précieux avis.

Parlons de vous. Je suis toujours prêt à vous aider pour la cure de votre fille. Ceci dit, il me semble que je pourrais négocier, si vous m'y autorisez, l'achat de la traduction Steinbeck[4] par *Combat* qui paierait sans doute d'avance. (Saillet n'est plus à *Terre des hommes*[5] qui sera fait maintenant par de brillants jeunes gens qui ne sont pas, je crois, de notre monde).

Savinkov. Malraux refuse de faire la préface[6]. Si j'arrive à négocier les droits et à faire refaire une traduction (que Parain[7] juge nécessaire), je voudrais bien que vous fassiez une préface. On recherche les documents dont vous parlez. En attendant, je vous envoie le livre dont je vous avais parlé. Ce sont les souvenirs du chef de l'Okhrana[8]. C'est *l'autre* point de vue et il vous amusera (page 225, la photo d'Azef[9] entouré de terroristes barbus et romantiques. Azef a l'air d'un boucher qui aurait réussi. Il est le seul à avoir un front oblique).

Palante — Écris-moi[10] tout de suite la lettre d'introduction et on mettra le truc en fabrication — j'ai dîné hier avec une ravissante, amie d'un ami (Jules Roy[11]) qui m'a parlé du *Sang noir* avec tant d'enthousiasme et de justesse que je lui ai promis tes *Souvenirs sur J. Palante*. Pour ce qui est du volume, on y mettra toutes les photos que tu voudras. Dans la lettre, pense, au moins pendant trois lignes, au sujet de la collection.

Et à propos du *Sang noir*, j'y ai remis le nez, poussé par l'amitié[12]. J'ai eu honte et je me suis senti très petit garçon. Je ne connais *personne* aujourd'hui qui sache faire vivre ses personnages comme tu le fais. Il n'y a plus de romanciers parce que nous n'écrivons plus avec le cœur et la tendresse. La vie du *Sang noir*, c'est la vie. Enfin, j'en étais tout remué. Après *Palante*, finis vite le roman[13].

T'ai-je dit que je suis allé à Lourmarin[14]. Trois jours, et je marchais sur ces collines et dans cette lumière avec tant d'allégresse ! J'y ai tout oublié. Il faudra que nous y allions ensemble, non ? Je ne me sens content, et accompli, que dans une certaine lumière. Ce qui me poursuit et me dessèche, c'est l'époque. C'est elle qui m'empêche d'avoir la conscience tranquille et d'aller jusqu'au bout de ma force. Mais il faudra bien régler cette question. Parce qu'après tout, il y a la lumière, la passion, la sainteté, les chats, l'amitié, toutes choses qui ne sont pas dans l'histoire et qui sont aussi vraies que le reste.

J'ai vu Koestler[15] ici, homme nerveux, inquiet, avec le talent des apocalypses, à part ça susceptible et séduisant. Il croit comme moi que le génie n'existe pas, mais il se pose le cas Malraux. Il croit au destin et aux coïncidences.

Écris-moi. Dis-moi tes projets et où tu en es. Et n'oublie pas ton vieux frère. Affectueusement à vous trois

Camus

Francine vous envoie à tous des tas de grâces.

---

1. Papier à en-tête de la NRF Librairie Gallimard.
2. Comme la lettre de Camus du 12 septembre, Guilloux fait taper cette lettre et envisage de la publier dans ses *Carnets* ; mais il ne la garde pas pour la publication [LGO CII 01.01 f° 35-37].

3. En septembre 1946, Camus a voyagé dans le Vaucluse avec Jean Amrouche et Jules Roy ; il a passé quelques jours à Lourmarin, où il a rencontré Henri Bosco ; il a été enchanté par le village ; mais, faute de pouvoir y acheter une maison, il envisage d'en louer une. C'est en 1958 seulement qu'il pourra acheter la maison de Lourmarin.

4. La traduction par Guilloux de la nouvelle de Steinbeck, « Le Requin », paraîtra à *L'Arche* (voir la lettre du 8 mars 1946, note 3 et la lettre du 16 septembre 1946, note 2) et non dans *Combat*.

5. Voir la note 4 de la lettre du 16 septembre 1946.

6. Olivier Todd cite la lettre où Camus demandait cette préface à Malraux : « Vous êtes le seul à pouvoir parler comme il convient du nihilisme, de la terreur et de l'impasse où il mène [...] » (*Albert Camus, une vie*, Gallimard, 1996 [« NRF Biographie »], p. 525).

7. Brice Parain (1897-1971), philosophe, joue un rôle-clé chez Gallimard, entre autres au comité de lecture.

8. Camus envoie à Guilloux le livre de Guérassimov qu'il lui a demandé (voir la lettre du 8 septembre 1946 et la note 6), *Tsarisme et terrorisme. Souvenirs du Général Guérassimov, ancien chef de l'Okhrana de Saint-Pétersbourg (1909-1912)*. Il ne s'agit plus du point de vue des terroristes, comme dans l'ouvrage de Savinkov, mais de celui de la police. L'Okhrana, en effet, est la police politique secrète russe instaurée par le tsar en 1881 et qui a pratiqué massivement le noyautage des organisations révolutionnaires russes ; Evno Azef est un de ses agents doubles. Voir Maurice Laporte, *Histoire de l'Okhrana : la police secrète des Tsars, 1880-1917*, Payot, 1935.

9. Voir ce que lui demandait Guilloux dans la lettre précédente.

10. C'est au milieu de la lettre que Camus passe du « vous » au « tu », comme Guilloux le lui a demandé dans sa lettre du 16 septembre.

11. Jules Roy (1907-2000) et Camus se sont rencontrés l'année précédente ; ils ont en commun leurs racines algéroises ; ils resteront amis. Jules Roy écrit surtout des romans et récits militaires.

12. À la suite de cette relecture, Camus note dans ses *Carnets* : « Guilloux. La seule référence, c'est la douleur. Que le plus grand des coupables garde un rapport avec l'humain » (*OC* II, p. 1075).

13. *Le Jeu de patience*.

14. Au début de la lettre, Camus parlait seulement du Vaucluse ; ici, il précise son enchantement à Lourmarin. Voir ce qu'il en dit dans ses *Carnets* (*OC II*, p. 1067).

15. Arthur Koestler (1905-1983), romancier et essayiste anglais, est un intellectuel engagé. Il partage avec Camus le rejet du stalinisme et de la peine de mort ; en 1955, les deux écrivains publieront ensemble *Réflexions sur la peine capitale*. Voir ce que Camus rapporte dans ses *Carnets* de cette rencontre ainsi que

d'un débat qui, le 29 octobre, réunissait entre autres Koestler, Sartre, Malraux, Sperber et lui (*OC II*, p. 1072-1074). Guilloux, de son côté, a une profonde admiration pour Koestler : il estime que des livres comme *Le Testament espagnol*, *Le Zéro et l'infini*, *La Lie de la terre*, font « partie des grands témoignages de l'époque » (manuscrit des *Carnets*, LGO C II 07.01.01. [24]). Merci à Alexandra Vasic de m'avoir signalé cette remarque de Guilloux.

12. — LOUIS GUILLOUX À ALBERT CAMUS

Saint-Brieuc,
10 novembre 1946[1]

Mon cher Camus,

Ta lettre m'a donné un grand bonheur ; si je n'y ai pas répondu plus tôt, c'est pour des raisons analogues à celles que tu cites en parlant de toi-même — mais en pensée, j'y ai répondu tous les jours et longuement. Ton amitié m'est précieuse et nécessaire, elle m'aide à vivre. C'est pour moi une grande joie de penser que j'irai bientôt à Paris et que nous nous verrons. Ce sera, je pense, vers la fin de la semaine qui vient ou le commencement de l'autre. Je prendrai le train très vraisemblablement le dimanche 17 novembre c'est-à-dire demain en huit. D'ici là, peut-être m'auras-tu envoyé la copie dactylographiée de *La Peste*[2]. J'ai été heureux, en te lisant, de voir que tu étais dans des dispositions moins pessimistes à l'égard de cet ouvrage. Il y a toujours deux moments très durs qui sont les moments de ce qu'on peut nommer le milieu et la fin d'un ouvrage. Le retournement contre les choses issues de nous-mêmes, me reste très mystérieux bien que je l'aie parfois éprouvé avec une violence qui m'inquiétait, au point de ne pouvoir passer devant la vitrine du libraire, au point de ne pouvoir supporter d'entendre parler de l'ouvrage en question. Ensuite vient *l'oubli*. Règle générale, mais applicable peut-être uniquement aux œuvres dites de fiction : L'effort d'un artiste tend à détruire l'univers qu'il s'emploie à fixer.

— Je voudrais bien avoir lu *La Peste* avant que nous nous voyions. Nous pourrions ainsi en parler plus utilement dans huit jours. Mais si ce n'est pas possible, je lirai ton manuscrit à Paris.

Hier, je t'ai envoyé un exemplaire de mes *Souvenirs sur Palante* — Il est destiné à la personne dont tu me parles et qui t'a parlé du *Sang noir*. J'ai cru comprendre que c'était ce livre-là plutôt que la réimpression à laquelle nous pensons que tu lui avais promis. Les livres n'étant guère en général que des sources de malentendus, je serai heureux de connaître une personne dont tu me dis qu'elle t'a parlé du *Sang noir* avec justesse.

— J'ai aussi reçu le Guerassimov[3], que j'ai lu aussitôt. Nous sommes ici jetés face aux évidences. C'est de ce point de vue que cet ouvrage m'intéresse. Guerassimov ne donne pas ses vraies raisons parce qu'il ne le peut pas, et il ne le peut pas parce qu'il ne les connaît pas. Il se croit gendarme. J'admire, d'autre part, sur un autre plan, qu'en 1933, date de la signature de sa préface, il se dise « général en retraite ». — C'est assez marrant. Quant au portrait d'Azef, c'est une pièce de choix — Il y a longtemps que je désirais voir cette gueule-là de près. Autre évidence. Dans un certain sens, ce groupe de terroristes avec Azef au milieu, est beau comme une manière de Giotto. Je regrette que Malraux ne veuille pas préfacer le Savinkov. C'eût été une occasion de définir et de fonder une certaine forme du héros — ou de l'héroïsme. Mais il est vrai que cela se trouve dans *La Condition humaine* et ailleurs. Je ne sais pas si je serai capable de parler de Savinkov comme il le faudrait, surtout que je me sens beaucoup plus intéressé par la complexité sur laquelle s'appuie la volonté héroïque, que par cette volonté même. Mais je m'exprime mal. Je te dirai mieux de vive voix ce que je pense là-dessus.

Que je te dise tout de suite où j'en suis au point de vue de ma fille : on lui a fait un vaccin qui semble avoir réussi, puisque depuis plus d'un mois, elle n'a pas eu de nouvelle crise. Je suis plein d'espoir de ce côté, tout en restant très prudent. Merci pour ce que tu me dis à ce sujet, je n'hésiterai pas, le cas échéant. Et, en attendant, oui, ce serait très bien si tu pouvais négocier l'achat du Steinbeck — que j'apporterai avec moi dans huit jours — Lourmarin : mais naturellement. Et bien volontiers, et quand tu voudras.

En[4] attendant, ce dont je voudrais te parler tout de suite, c'est de Palante, je voudrais t'écrire enfin cette lettre que je t'ai promise, et plus j'y réfléchis, plus je vois que c'est très difficile, et peut-être même impossible. Non qu'il me soit difficile de te parler *à toi* de Palante, au contraire. Je souhaite le faire de tout mon cœur, mais la pensée qu'à travers toi c'est à un public que je vais m'adresser[5] me paralyse. Je vais tâcher de te dire pourquoi. J'ai déjà eu l'occasion, je crois, de te parler des effets de la solitude. Et voilà qu'il y a quelques jours, ouvrant Nietzsche tout à fait par hasard (*Le Gai Savoir*) je suis tombé là-dessus : « Quand on vit seul, on ne parle pas trop haut, on n'écrit pas non plus trop haut : on craint l'écho, le vide de l'écho, la critique de la nymphe Écho. La solitude modifie toutes les voix[6]. » — Il y a donc d'abord cela — une certaine timidité, qui pourrait bien devenir une forme de maladie, une forme de crampe (des écrivains) mais intérieure, disons le mot, une certaine manière d'impuissance, qui fait que la plume ne bande plus. À force de n'avoir pas de réponse autre que celle de l'écho sonore, tout se modifie en effet, mais dans le sens de la régression en soi-même, de la déportation en soi-même, hors de toute communication possible, bien que la dernière chose qui reste à mourir soit un certain appel. Il n'y a pas à nommer romantiques des choses qui sont d'expérience. — Cette régression en soi-même, et cette déportation, c'est ce qui est arrivé à Palante. Mon ami Lambert m'écrivait que Palante s'est tué parce qu'il n'a pas pu s'exprimer. Je crois cela juste, en partie, c'est-à-dire uniquement dans la mesure où peut être dite juste une vue sur un suicide. (Il n'y a peut-être jamais de suicides proprement dits, la mort peut-être autrement, je veux dire que peut-être tout suicide est une autre forme de l'intervention, et c'était assez l'opinion du vieux Jules de Gaultier, comme tu le verras tout à l'heure, si je t'écris jusqu'au bout cette lettre qu'il me semble avoir commencée.) (Mais ceci est trop vite dit : il y a suicide et suicide. — La question d'âge me paraît très importante en cette matière. Et Palante se suicide dans la soixantaine. — Quoi qu'il en soit, je doute qu'il y ait des suicides qui ne soient des réponses et, de ce point de vue je suis d'accord avec toi pour penser (*Sisyphe*) que ce problème gouverne tous les autres. — Autre point de vue : l'opinion de

Jules de Gaultier, là-dessus, était, comme tu le verras, *intéressée*.)

Eh bien, mon cher Camus, voilà pourquoi il m'est impossible de songer à publier cette lettre sur Palante : c'est que, outre que ce que j'ai à dire ne peut l'être sans que je me mette en cause (et déjà, quand je publiais mes *Souvenirs*, Paulhan dit à Grenier : Guilloux parle de lui-même et de Palante comme s'ils étaient célèbres tous les deux) je ne puis non plus le faire sans mettre en cause beaucoup de gens encore vivants, ou dont les proches vivent encore ; et bien que ce que j'ai à en dire ne soit déshonorant pour personne, cependant, je ne puis, sans que cela soit odieux, mettre au grand jour certains points d'intimité et de douleur qui ne m'appartiennent pas. Je sais bien qu'on pourrait me dire que les scrupules me viennent sur le tard, et que je n'ai pas fait tant de manières quand il s'est agi pour moi d'écrire mes *Souvenirs sur Palante*, et, plus tard, *Le Sang noir*. Il y a là en effet une question, et je ne la fuis pas le moins du monde. Entre mes *Souvenirs sur Palante*, et aujourd'hui moi-même, il y a Cripure. Il y a aussi Maïa. Je serais même tenté de dire qu'il y a *surtout* Maïa, d'un certain point de vue. Maïa, qui vient de mourir ces temps derniers... Je te parlerai de Maïa tout à l'heure. Restons sur le problème Palante-Cripure. À la parution du *Sang noir*, les gens se sont écriés : Cripure, c'est Palante. Ils l'ont dit et même ils l'ont imprimé. — Des critiques très perspicaces, Monsieur André Billy en tête, ont fait cette découverte. D'où tenaient-ils cette découverte ? D'où tenaient-ils le droit de la proclamer ? D'où tenaient-ils le droit, comme certains dont j'oublie les noms, de citer Saint-Brieuc, comme le lieu de l'action de mon livre ? Qu'est-ce que cela avait à faire avec le livre même, et à quoi rimait, du point de vue de la critique, cette manière de désigner nommément des personnes et des lieux dont il était parfaitement indifférent de savoir qu'ils étaient tels ou tels pour l'intelligence de mon livre ?

En agissant ainsi, ces Messieurs Critiques ne faisaient pas autre chose qu'imiter les lecteurs pour lesquels ils sont faits, et pour qui tous les plaisirs de l'esprit se résument à reconnaître, dans un roman, derrière le personnage, la figure en chair et en os. Pour eux, tous les romans sont à clé. Mentalité de cambrioleurs. Et c'est ainsi que, pour eux, Cripure, c'est Palante, Nabucet, un certain Feuder, Babinot, un certain Cottelle, etc. Non seulement il s'est trouvé des gens pour désigner, derrière Cripure, Palante, mais il s'en est trouvé encore pour me reprocher d'avoir fait de Palante, Cripure, autrement dit d'avoir trahi l'amitié. Mais en général — et pourquoi écrire en général, c'est d'une manière absolument constante qu'il faut dire, les gens qui m'ont fait ce reproche n'avaient pas été, n'étaient pas les amis de Palante. Plutôt ses ennemis, choisis dans cette « majorité compacte » qu'après Ibsen, mon vieux Palante abhorrait, criblant de ses traits d'ironie — l'ironie : cette fille passionnée de la douleur, écrivait-il ; bref, des messieurs bien conformistes et résolument dans le tas, qui n'y voyaient pas plus loin que la décoration de leur boutonnière, et pour qui, d'ailleurs, tout compte fait, Palante n'avait jamais été qu'un anormal ou même un fou. Ils disaient plutôt, d'ailleurs : *déséquilibré*. Je livre à tes pensées ce point de contradiction par quoi on prétend défendre d'un côté ce que de l'autre on méprise. Par une suite toute naturelle, car ces gens là ont aussi à l'intérieur des contradictions les plus baroques une espèce de logique, comme ils ont leurs idées *arrêtées* sur toutes choses, espéraient-ils que le spectre de Palante hantait mes jours et mes nuits. Tout ceci est assez dostoiewskien en un sens ; derrière chaque phrase que je t'écris en ce moment, je pourrais mettre une figure, un propos, un éclairage — le plus souvent une insinuation. Les petites villes préméditent, mais bien entendu jamais ouvertement. Tout se fait *à la sourdine*. — Et, de mon côté, j'ai joué mon rôle, à l'occasion, j'ai parfois prêté l'oreille à certains propos : la curiosité est un très grand mobile. Mais la médiocrité ne se renouvelle guère et finalement, cette curiosité-là a vite fait son plein. Je n'avais à expliquer à personne que Cripure n'est pas Palante, que Palante n'est que le *témoin* de Cripure — que Palante donne à Cripure le branle, mais c'est tout — Je n'avais surtout pas à expliquer à quiconque que *Le Sang noir* est une lamentation ni à rendre compte de mes *larmes secrètes* — Je ne crains pas et n'ai jamais craint que le spectre de Palante se dresse au pied de mon lit. Je l'appelle, au contraire, pour une étreinte fraternelle. — Je rêve périodiquement que je me *réconcilie* avec Palante. Tu sais, par mes *Souvenirs*, qu'il s'était brouillé avec moi. L'occasion de cette brouille avait été la publication d'un conte, dans un journal, conte dans lequel je rapportais le propos d'un professeur, propos qu'en effet je tenais de Palante, mais qui n'avait rien de particulier sinon qu'il était odieux : un petit pensionnaire était mort à l'infirmerie du lycée, en quelques heures. Le proviseur était bien entendu allé à l'enterrement du pauvre gosse, il avait prononcé un discours sur la tombe et, plus tard, il avait ajouté que ce discours ferait beaucoup de bien au lycée... Palante m'avait rapporté ce propos avec indignation. Il ne m'avait nullement demandé le secret. Quelque temps plus tard, me trouvant à Paris et battant le pavé du roi, j'écrivis un conte où je mettais en scène un proviseur auquel j'attribuais ce propos et ce conte fut publié dans le journal *Le Peuple*, organe de la CGT — À cette époque, je ne publiais nulle part le moindre petit bout d'écho sans l'envoyer à Palante. Je lui envoyai donc mon conte, comme je faisais habituellement de tout, ce qui montre au moins que je n'avais rien prémédité, et, en retour, je reçus de lui une lettre plus que sévère qui était une lettre de rupture. Je répondis aussitôt pour me justifier, et en annonçant que j'allais me rendre à Saint-Brieuc pour avoir avec lui une explication de vive voix. Mais il me répondit encore, et ce fut la dernière lettre que je reçus de lui, qu'il était inutile de ma part de faire le voyage que j'annonçais, et que nous en resterions là. Nous en sommes donc restés là. C'est une des grandes douleurs de ma vie. Plus tard, j'ai su, par Grenier, qu'il avait craint que la publication de mon conte n'eût pour lui des conséquences très graves, que même on le mît en demeure de demander son changement, choses possibles, bien que peu croyables, et qui n'eurent d'ailleurs point lieu. Plus tard aussi, il dit à Grenier qui souhaitait avec tant d'amitié voir notre réconciliation, qu'il s'était « emballé ». — Mais il n'en resta pas moins sur sa décision. Or, à l'époque de cette rupture (1921) j'étais encore un garçon très naïf — Ce n'est que plus tard que je me suis mis à penser que l'affaire du conte ne rendait pas complètement raison de la décision de Palante à mon égard, que, le connaissant, il se pouvait et il était même probable que sa résolution de rompre avec moi avait été motivée antérieurement à cette histoire, par quelque jugement secret que je n'ai jamais su. Et ainsi s'est ouverte pour moi une autre source de tourment. Je ne l'ai plus jamais revu ni même aperçu depuis lors, et c'est par nos amis communs, Grenier et Lambert, que j'ai connu les péripéties de son duel manqué avec Jules de Gaultier. C'est toujours par les mêmes amis, puis, par la rumeur, avant et surtout après son suicide, que j'ai pu me faire une image de ce qu'avaient été ses dernières années, et ainsi apprendre à quel point de solitude, d'effroi, de douleur, il était parvenu. Plus tard, dans l'année qui suivit sa mort, j'ai recueilli comme je te le dirai tout à l'heure, des témoignages directs — dans la circonstance la plus inattendue. Je me flattais toujours de la pensée que, si j'avais été auprès de lui, j'aurais trouvé le moyen de l'aider. Peut-être n'était-ce là qu'une présomption de ma part. En tous cas, je ne puis omettre de te préciser ce point-là. Et maintenant, voici qu'il me faut entreprendre un récit, te raconter les choses telles qu'elles sont venues à ma connaissance, et d'abord les origines du duel — Je crois bien que c'est de Lambert que je tiens ce récit, ou cette interprétation. Voici donc, d'après lui, comment les choses commencèrent. Tu sais que Palante tenait depuis des années au *Mercure* la rubrique de philosophie. Il y avait succédé à Jules de Gaultier. Avec ce dernier, il entretenait des rapports d'autant plus amicaux qu'il avait publié aux Éditions du Mercure, une plaquette sur le bovarysme tout à la louange de Jules de Gaultier[7]. Or, ce dernier, qui était je crois percepteur, mais je ne sais plus où, eut le désir, une fois à la retraite, de venir habiter en Bretagne. Dans cette intention il écrivit à Palante, pour lui demander son conseil et son aide dans la recherche d'une petite maison qu'il désirait acheter sur le bord de la côte. Ce n'était point là beaucoup l'affaire de Palante, qui se débrouillait toujours si mal dans le concret, mais comme il avait de l'amitié pour Jules de Gaultier et qu'il était très complaisant et serviable, il répondit en disant qu'il s'occuperait fort volontiers de cette recherche — À quoi Jules de Gaultier répondit à son tour en annonçant que sa fille Ginette viendrait tel jour à Saint-Brieuc, et qu'elle s'occuperait avec lui de la chose en question. Or, dit le philosophe, tout roule en ce monde sur des pointes d'aiguilles, et, ici, la pointe d'aiguille fut que Ginette rata son train, ou qu'elle eut un empêchement quelconque, mais que, en tous cas, après que Palante eut fait toilette pour la recevoir — et quand [on] le connaissait, on pouvait imaginer ce que cela représentait pour lui — et qu'il se fut rendu à la gare pour n'y voir arriver personne, il rentra chez lui d'assez mauvaise humeur. Le lendemain, il reçut une lettre où l'on s'excusait en fixant une autre date pour l'arrivée à Saint-Brieuc de Ginette — Et il fallut recommencer à faire toilette et pour la deuxième fois se rendre à la gare. Il n'y eut point ce jour-là de malentendu, et Ginette arriva en effet comme il était prévu, mais… Mais je n'en finirai pas, du moins pas aujourd'hui et je voudrais pourtant que ma lettre parte ce soir. J'allais te dire que plus tard, j'ai connu Ginette, et que par conséquent je puis me représenter son arrivée à Saint-Brieuc autrement que par le récit de Lambert. Ginette devait être à l'époque (elle est morte il y a deux ou trois ans) une personne d'une bonne quarantaine d'années, assez molle, presque blanche, très tendre et pleine de prévenances pour autrui, mais peut-être un peu simple, ceci soit dit plutôt à sa louange, assez peu faite j'imagine pour les affaires, et malheureusement affligée d'un travers qu'elle tenait de sa mère : celui de faire étalage de ses hautes relations dans le monde. Rien n'était mieux fait pour porter Palante à l'exaspération rouge que d'entendre quiconque se prévaloir de connaître tel général, tel ministre, etc. — Et c'est ce qui arriva. C'est là la deuxième pointe de l'aiguille, la deuxième dent de l'engrenage. Ce que fut le séjour de Ginette à Saint-Brieuc et ce qu'il advint des recherches qu'elle entreprit avec Palante en vue de cette maison sur la côte, je ne sais rien — Mais il est de fait que peu de temps après cela, Jules de Gaultier s'en vient habiter près de Pordic une petite maison dite : la Batterie où il devait désormais passer une grande partie de l'année, l'été surtout — Le reste du temps, il habitait Boulogne.

À ce qu'on m'a dit, tout alla bien entre les deux hommes pendant quelque temps. Ils se voyaient au Café du Commerce à chacun des voyages que faisait Jules de Gaultier à Saint-Brieuc. J'ignore si Palante fit ou non la connaissance de Madame Jules de Gaultier, mais, si oui, il dut être mille fois plus exaspéré qu'il ne l'avait été par Ginette, l'excellente vieille dame ayant mille fois plus que sa fille encore, la manie de parler et de ne parler guère que de ses brillantes relations. Quoi qu'il en soit, le feu qui couvait sous la cendre éclata en hautes flammes à l'occasion d'un livre que Jules de Gaultier publia peu de temps après son installation en Bretagne, livre qui s'intitulait je crois *La Philosophie et la Philosophie officielle* (mais il faudrait que je cherche le titre exact[8]). Palante en rendit compte dans *Le Mercure*, mais d'une façon tout à l'inverse de celle qu'il avait employée autrefois pour parler du bovarysme — Jules de Gaultier répondit. Palante à son tour répondit — Il faudrait que je constitue le dossier de cette polémique si désolante, si bourrée de gros mots, de part et d'autre, et qui ne cessa qu'avec la provocation en duel. Toute cette affaire est d'une horrible tristesse. À la conter, il faudrait prendre le temps d'en montrer tous les détails, et ce serait encore plus triste, hélas. Je parle de tristesse surtout à propos des textes de la polémique, bien plus qu'à propos du reste, où nous sommes dans la passion et dans le drame, avec de très grands moments : il est bon que je me corrige en ajoutant cela. Mais j'écris trop vite, avec trop de précipitation depuis quelques instants — Je crois que le bon sens serait de remettre à demain la suite de cette lettre et de t'envoyer ce que j'ai écrit aujourd'hui tout de suite. Pardonne-moi l'interruption. À demain sûrement. Mais tu vois dès à présent qu'il est impossible de rien publier sur ce sujet ? — À demain, en attendant de te voir bientôt. Je ne comptais pas t'écrire tout cela aujourd'hui, et puis, quand j'ai eu commencé, je me suis dit que j'écrirais tout d'une traite — Mais je vois bien que ce n'est pas possible. Donc, remettons.

Voici la suite (et fin) de ce que je t'écrivais hier. C'est un fatras que je n'ai pas le courage de relire. Mais nous en reparlerons et nous verrons ensemble ce qu'il y [a] lieu d'en faire. Ces pages désordonnées et hâtives n'épuisent pas le sujet[9].

Maître Perigois, bâtonnier, qui avait été avec Monsieur Avril le témoin de Palante, m'a raconté que peu de temps après l'accord réalisé avec les témoins de Jules de Gaultier, on vint lui dire qu'il eut à prendre garde, Palante annonçant qu'il avait résolu de le tuer. Maître Perigois fut d'autant plus surpris, pour ne rien dire de la peine qu'il éprouva dans la fidèle amitié qu'il portait à Palante depuis qu'il avait été son élève au lycée, que, lors de la signature du procès verbal, Palante n'avait point caché sa satisfaction. Et encore moins Maïa, qui, dans sa nature généreuse et démonstrative, s'était répandue en larmes et en remerciements, en appelant ses « sauveurs » les témoins de son grand infirme. Et voilà que Palante annonçait qu'il voulait tuer Maître Perigois, voilà qu'il se promenait en ville, armé d'un revolver, à la recherche d'un de ceux qu'il accusait de l'avoir déshonoré. À quelque temps de là, Maître Perigois aperçut dans une rue de la ville, une rue que nous appelons la rue Saint-Gilles, et qui se trouve tout près de la Cathédrale, Palante qu'il aborda en lui demandant : « Est-ce possible ? que me raconte-t-on ? » Et Palante, d'abord surpris, ne répondit point, puis il s'écria : « Vous m'avez déshonoré aux yeux de mes confrères et du monde entier ! » Et, là-dessus, il passa, sans plus, sans coup de feu, sans la moindre violence, et même sans rien qui pût laisser à penser que Palante entretenait à son égard des desseins hostiles. On avait dû beaucoup exagérer les choses quand on était venu parler au bâtonnier de menaces de mort et de revolver.

L'étrangeté du propos, toutefois, pouvait donner à réfléchir — Et le bruit ne commençait-il pas à se répandre que l'esprit de Palante était en train de se déranger ? Un homme comme le bâtonnier avait trop d'amitié pour Palante et de pitié naturelle, pour ajouter foi à de tels bruits — Mais l'étrangeté du propos était cependant inquiétante — En tous cas, elle marquait un point de douleur exceptionnel — et, à mon avis, c'est cela que veulent dire les gens qui n'ont point accès à la douleur, quand ils disent folie. Comment reconnaîtraient-ils ce qui leur est étranger ? Et c'est cela qu'ils veulent dire, quand ils disent : Palante était un déséquilibré. Est-ce vers ce temps-là ou un peu plus tard — plus tard sans doute, que Palante prit congé des amis qui lui restaient. Il écrivit à ses amis, notamment à Lambert, qui m'a montré la lettre, que « comptant se retirer dans la solitude pour un temps indéterminé, il regrettait de devoir renoncer à une amitié qui… ». La solitude, ce serait La Granville, où il avait sa petite villa, endroit encore parfaitement désert à l'époque, et où il envisageait sans doute de se retirer dans la seule compagnie de Maïa. Il l'épousa. C'était régulariser une situation. On m'a dit que le jour du mariage, on l'avait vu sortir, le soir, plus qu'à moitié ivre, du buffet de la gare, où il venait de célébrer avec Maïa, l'événement qui les rendait l'un à l'autre légitimes — Ivre : n'est-ce pas là un autre point de scandale, une nouvelle charge contre lui ? Une nouvelle preuve de déséquilibre ? Il allait bientôt atteindre l'âge de la retraite, il échapperait au cauchemar du lycée. Mais le lycée ne devait plus être devenu pour lui qu'un moindre cauchemar, comparé à certaines autres pensées qui l'occupaient, et il ne devait pas être tellement faux qu'il en voulait au bâtonnier, puisqu'un jour, assez longtemps d'ailleurs après la rencontre du bâtonnier et de Palante dans la rue Saint-Gilles, il arriva qu'un jeune avocat du nom de Monsieur de Tremaudan, rencontrant Palante qui errait sur une des places de la ville, et frappé du drôle d'air qu'il avait, lui demanda qui il cherchait ? « Qui ? dit Palante, mais, n'est-ce pas, je cherche Monsieur Perigois, n'est-ce pas, pour le tuer. » À quoi le jeune avocat Monsieur de Tremaudan répondit qu'il savait fort bien où se trouvait Monsieur Perigois, et qu'il le conduirait à lui bien volontiers s'il le désirait. « Mais oui » répondit Palante — Et, le plus tranquillement du monde, il se laissa emmener au palais de Justice par le jeune avocat. Celui-ci le conduisit au procureur de la République, et le procureur fit asseoir Palante. Le jeune avocat expliqua l'affaire — Et Palante répondit que rien n'était plus vrai, qu'il cherchait en effet Monsieur Perigois pour le tuer. Bien entendu, le procureur était depuis longtemps au courant des bruits qui couraient — Il ne fut donc pas surpris de ce que lui disait Palante, mais il lui demanda avec quoi il comptait tuer Monsieur Perigois, et Palante répondit : Avec un revolver. Est-ce qu'il ne serait pas mieux de ne pas le tuer ? demanda le procureur — Et avez-vous sur vous ce revolver ? « Oui », dit Palante. « Ma foi, dit le procureur, si j'étais à votre place, Monsieur Palante, je me débarrasserais de ce revolver. Est-ce qu'il ne serait pas mieux que vous le laissiez entre mes mains ? » Palante sortit de sa poche un revolver qu'il remit au procureur, et le procureur s'aperçut alors que le revolver ne contenait pas une seule cartouche.

Voilà, mon cher Camus, les choses telles qu'on me les a contées, et je n'ai aucune raison de douter qu'en effet elles se sont bien passées ainsi. Si nous resituons tout dans l'atmosphère de la petite ville et dans la lumière (!) de ce Palais de Justice, drôle de bâtiment, nous aboutissons à un total passablement suffoquant et d'une belle teinte d'ancienne Russie — Et, dans ce décor de dérision, un homme en agonie. — Je crois à la fatalité des caractères — Je crois aussi que les psychologies précèdent les attitudes de l'esprit, c'est pourquoi il me paraît court de dire que Palante s'est suicidé parce qu'il se croyait déshonoré, et assez vain d'insister sur la contradiction qu'on peut voir entre son attitude individualiste et le sentiment de l'honneur. Il ne faut d'ailleurs pas oublier que la position de Palante à l'égard du monde est avant tout une position de sensibilité. Qu'en se tuant il ait voulu montrer qu'il n'avait pas peur de la mort, c'est possible, mais à mon avis cette raison-là ne peut entrer que pour une très faible part dans une explication de son suicide. Et d'ailleurs il n'y a pas d'explication qui tombe sous la prise des mots. Et il s'agit finalement beaucoup moins d'explication que de *signification* — Mais là aussi, nous retombons dans un silence. Il serait facile de se dire qu'à partir de ce silence tout se rétablit et se recompose dans l'amour et, au sens le plus noble du mot, dans la pitié, si le suicide de Palante n'était si visiblement une rupture, un refus, une interdiction même, à nous tous signifiée — Toute pensée que nous lui offrons, c'est contre sa volonté, sans droit. Et les choses ayant été ce qu'elles ont été, nous devons penser que nous avons mérité ce refus. Et rien ne sera plus changé. Palante nous a dit : *Non* — Et il nous dira *Non* éternellement.

Rien n'a manqué à cette agonie, pas même la présence active du « démon mesquin » sous les apparences d'un certain Meyer, dentiste, homme méchant, qui joua un rôle trouble dans l'affaire du duel, en excitant Palante au pire — Maïa traitait Meyer de « vachot » — Elle prétendait qu'il avait une grande part de responsabilité dans les malheurs de Palante, et, plus tard, dans son suicide, bien que, à cette époque-là, Palante fût depuis longtemps brouillé avec Meyer comme avec tout le monde, sauf peut-être avec Hardouin, son voisin de campagne, dont j'ai dit tout ce que j'avais à en dire dans mes *Souvenirs*. Hardouin reste le seul témoin des dernières paroles de Palante quant au déshonneur, mais, ainsi que je te le disais en commençant, j'ai fait un jour une trouvaille qui m'a permis de penser que, dans les derniers temps de sa vie, Palante a sûrement pensé à un écrit, dans lequel il se fût expliqué et justifié. Qu'il n'ait pas réussi à mener cet écrit à bien semblerait donner raison à Lambert, qui m'écrivait que Palante s'est tué parce qu'il n'a pas pu s'exprimer. Voici donc dans quelles conditions s'est opérée la trouvaille dont je te parle. Tous les ans, à la Saint-Michel (29 septembre) se tient une foire sur le Champ de Mars de Saint-Brieuc, où non seulement les brocanteurs mais quiconque a quelque chose à vendre, peut prendre un étal. Me promenant dans cette foire, l'année après la mort de Palante, j'eus la surprise de voir que Maïa y avait pris un étal et qu'elle avait amené là tout ce qui lui restait de la bibliothèque de Palante, c'est-à-dire tout ce qui n'avait pas été acheté par la bibliothèque

municipale. Elle même était là, derrière ses tré-
teaux chargés de bouquins, que celui qui allait
devenir son second mari, qui l'était peut-être déjà,
allait chercher à brouettées chez Palante — Spectacle plus qu'inattendu et assez grandiose, que
celui de Maïa, que j'aperçus alors en train de manger un morceau de pain et de lard, sur le pouce.
Tu penses bien qu'il n'entre pas dans mon esprit la
moindre intention de blâme. Maïa était une excellente femme, très sincèrement attachée à Palante ;
je l'avais toujours vue pleine pour lui d'attentions
délicates et affectueuses. Je n'ai jamais douté de
la sincérité de sa douleur devant le drame. Mais
il ne s'agissait pas de cela. Qu'eût-elle fait de tous
ces bouquins ? Maïa ne savait pas lire — Il est
plus que probable que son nouveau mari ne s'in-
téressait pas beaucoup, de son côté, aux livres. Le
mieux était donc de les vendre, et c'est ce qu'elle
était en train de faire. Je te laisse à penser dans
quels sentiments je m'approchai de cet étal, où
tant de livres que je voyais m'étaient physique-
ment connus, où il s'en trouva même que je lui
avais donnés autrefois, quand nous échangions
des livres, et je te laisse aussi à penser ce que je
pus éprouver, sachant que la plupart des livres de
Palante étaient annotés. Or, la pudeur était une
des grands qualités de Palante et il la poussait
même jusqu'au scrupule — C'est ainsi qu'un jour
où nous parlions ensemble d'Ibsen, il me dit qu'il
aurait été ravi de me prêter telle de ses pièces
que je ne connaissais pas, mais qu'il regrettait
de ne pouvoir le faire, vu que le seul exemplaire
qu'il possédait de cette pièce se trouvait annoté,
et que, dans ces conditions, je devais comprendre
qu'il lui était difficile, etc. Et cela se passait en un

temps où nous étions fort amis — Or, nous voilà sur le Champ de Mars — à la foire — et tous les livres de Palante sont là. Je m'aperçus que non seulement beaucoup d'entre eux étaient annotés, mais que beaucoup, aussi, étaient bourrés de papiers : vieilles lettres, brouillons de lettres, notes et brouillons en vue de ses chroniques du *Mercure*, factures, cartes de visite... Il aurait fallu pouvoir tout racheter. Cela ne m'était pas possible — J'achetai cependant tout ce que je pus, et dans un des livres que je me procurai ainsi, je trouvai divers petits bouts de papier, sur lesquels était écrit ce que je m'en vais transcrire :

Sur un papier : « Machiavélisme — Si l'on veut me mettre à Dinan, tout le monde dira que c'est la preuve que j'ai raison. »

(Note que Dinan est le lieu du plus proche asile de fous).

Sur un autre papier : « Je veux d'abord poser la question du pistolet. Monsieur P... me fait remarquer que je me ferme par là tout recours ultérieur à une formule d'arrangement et que je serai forcé de me battre à l'épée... et que si je renonce à la formule proposée, je suis forcé de me battre à l'épée...

Je me suis promis de...

C'est un cas... poussé à le croire, peut-être unique dans les annales du duel.

D'après la conception de mes témoins, du moment qu'un monsieur se dit l'offensé, il a tous les droits, y compris de faire battre à l'épée même un cul-de-jatte —

Au lycée, j'ai trouvé inscrit sur le tableau... »

Note globale. — « Il m'a semblé, à la réflexion qu'en ce cas, le devoir de mes témoins eût été d'opposer au procès verbal de carence, un procès verbal constatant que j'avais offert le duel au pistolet.

Mes témoins étaient très opposés au duel. Je ne puis leur savoir mauvais gré du sentiment humain qui leur inspira cette attitude. Je ne puis non plus entièrement m'en applaudir.

J'ajoute que, postérieurement à la solution intervenue, j'ai pris des informations. J'ai consulté plusieurs médecins qui tous m'ont déclaré que la susdite amputation excluait pour moi le duel à l'épée.

Quant aux règlements du duel sur la question, je n'ai pu me les procurer. Le code du duel paraît introuvable. Je suppose qu'il est relégué loin des yeux des profanes, sous la garde d'augures qui ne doivent pas toujours se regarder sans rire. »

— C'est tout. L'amputation dont il est question dans cette dernière note doit être une amputation d'orteils. Est sûrement une amputation d'orteils. Il est probable que de nombreux petits papiers de ce genre ont dû se trouver répandus parmi ses livres, et c'est ce qui me fait croire qu'il rêvait à un écrit qui eût été une dernière tentative de justification. Ou plutôt : une dernière bataille du Combat pour l'Individu. — Mais tout s'est terminé comme tu sais, et ses derniers écrits resteront ses articles de polémique contre Jules de Gaultier. Je ne sais pas à quoi pouvait tenir l'intransigeance de Jules de Gaultier sur la question de l'épée, mais je ne vois pas non plus pourquoi il aurait refusé le combat au pistolet, et il se peut, mais je l'ignore, que les témoins de Palante ne lui aient pas transmis cette proposition, jugeant, sans doute, qu'elle ne serait pas acceptée avec trop d'empressement, et qu'alors le duel aurait effectivement lieu, ce qu'ils voulaient à tout prix éviter. J'ai fait la connaissance de Jules de Gaultier en 1936, je crois, c'est-à-dire dix ans après la mort de Palante. Nous avions pour amis communs Lambert et Petit. Je ne sais plus auquel des deux je dois d'avoir connu Jules de Gaultier, sans doute à Lambert, et, quant à moi, j'eus tout de suite beaucoup de sympathie et d'admiration pour ce vieillard nerveux, qui me faisait si bien souvenir de la parole de Péguy : il y en a qui vieillissent vieillard et d'autres qui vieillissent vieux. Jules de Gaultier appartenait à la deuxième catégorie. Il avait tout à fait l'allure d'un vieil officier de cavalerie. Les premières fois où il vint chez moi, il était accompagné de sa fille Ginette, plus exactement la fille de sa femme, et du mari de Ginette, Monsieur Bachère, qui avait tout à fait la gueule de l'ogre pour contes de fées. Au reste, Jules de Gaultier était le seul qui parlât, et il ne parlait que du bovarysme — Quand nous nous fûmes rencontrés, et comme je voyais qu'il avait pour moi de la sympathie, je lui dis que je ne pouvais pas continuer à entretenir avec lui des rapports amicaux sans lui avoir d'abord fait lire mon ouvrage sur Palante (*Souvenirs*) et surtout *Le Sang noir*. Il savait que j'avais été un ami de Palante. Je lui offris donc mes livres, ce qui fit dire à Lambert que nous allions bientôt assister à un second duel, qui aurait lieu cette fois entre Jules de Gaultier et moi, et dont l'occasion serait mon personnage de Cripure et tout ce qui est dit dans *Le Sang noir* à propos du duel entre Cripure et Nabucet. Jules de Gaultier revient me voir à quelque temps de là et il me dit : « J'ai lu votre ouvrage, il y a de très fortes scènes, mais vous ne me connaissiez pas à l'époque. » Lambert éclata de rire quand je lui rapportai ce propos. D'après Lambert, le vieux Jules de Gaultier n'était pas sans se poser de questions à propos du suicide de Palante. Bien entendu, je ne cherchais pas à entraîner Jules de Gaultier sur ce sujet, mais, un jour, de lui-même, il me parla de Palante et il me dit : « Palante était malade, j'ai vu son médecin. Palante serait mort de toute façon vers la même époque. » Une autre fois, comme je me promenais avec Jules de Gaultier aux environs de la Batterie en Pordic, nous rencontrâmes un chat sur la route, ce qui nous entraîna à parler des bêtes et de l'amour pour les bêtes. Jules de Gaultier me dit ce jour-là, qu'il lui eût été plus facile de tuer un homme que de tuer une bête, surtout un chat, propos que je considérai comme directement relié à sa philosophie du bovarysme et qui m'expliqua son intransigeance quant à l'épée, dans son affaire avec Palante.

Je crois que je vais m'arrêter là ; cette lettre est un fatras, pardonne-le-moi. Mais plus que jamais à présent tu vois qu'il n'est pas possible d'en rien faire pour le public. Nous en reparlerons d'ailleurs dans quelques jours. J'emporterai des textes et des photos et nous verrons ensemble quoi en faire. En terminant, tout de même je ne peux pas omettre de te dire que Maïa est morte ces temps derniers, après une vingtaine d'années conjugales avec un autre mari, ce que je ne lui reproche nullement, faut-il le dire, mais... mais la dérision fait pièce à l'absurde. Que Palante se soit suicidé, cela ne l'empêchait pas de croire aux concessions perpétuelles. Il avait donc acheté sa tombe dans le petit cimetière d'Hillion (village tout proche du lieu où il s'est tué) mais il avait aussi acheté la tombe de sa Maïa en même temps que la sienne et tout à côté. Voilà que depuis 1926 il repose à côté d'une tombe vide, et qui le restera[10].

[Louis Guilloux]

1. On ne sait pas quand Guilloux a envoyé à Camus cette lettre qui se révèle être la « lettre Palante » depuis si longtemps promise… C'est en tout cas avant avril 1947, puisque, à cette date, il note dans ses *Carnets*, parmi des « Choses à faire » : « Redemander à Camus ma lettre sur Palante » [LGO CII 02.02.06 f° 26]. Le 17 septembre 1947, Camus lui signale qu'il fait taper cette lettre par sa secrétaire et, le 8 octobre, il lui renvoie la lettre dactylographiée.

2. Voir *infra* les télégrammes et lettres échangés par les deux écrivains entre le 13 et le 27 décembre 1946.

3. *Tsarisme et terrorisme.* Voir lettres précédentes.

4. Guilloux entame donc la « lettre Palante » dont il est question entre lui et Camus depuis l'année précédente (voir les lettres du 26 décembre 1945, des 5 et 11 janvier 1946, des 8, 12, 16 et 23 septembre) ; c'est dire toute la difficulté qu'il éprouve à l'écrire. La dactylographie faite par la secrétaire de Camus, en septembre 1947, commence ici ; elle comporte dix-neuf pages. Mais le projet de publication sur Palante, pour laquelle elle était prévue, ne se réalisera pas ; en la lisant, on comprend pourquoi…

5. La lettre de Guilloux sur Palante est censée servir de base à l'élaboration d'un texte qui servirait de préface à la publication sur Palante projetée chez Gallimard : « des morceaux choisis de *Palante* avec votre texte comme introduction » (lettre de Camus du 5 janvier 1946).

6. Guilloux cite ici l'aphorisme 182 du troisième livre du *Gai Savoir* de Nietzsche.

7. Jules de Gaultier avait publié en 1902 *Le Bovarysme* (Société du *Mercure de France*) ; Georges Palante avait commenté l'ouvrage dans *La Philosophie du bovarysme. Jules de Gaultier*, Mercure de France, 1912.

8. Le titre exact est *La Philosophie officielle et la philosophie*, Librairie Félix Alcan, 1922.

9. Ce paragraphe n'existe que dans la version dactylographiée [LGC 1.1.3 f° 95]. Dans le manuscrit, il figurait au bas de la page qui commençait à « Mais j'écris trop vite » ; mais ce bas de page a été découpé et ne figure plus dans le manuscrit [LGC 1.1.3 f° 13].

10. Dans sa lettre du 25 août 1946 à Jean Grenier, où il lui parlait de cette « lettre Palante » qu'il avait à écrire, Guilloux écrivait : « Il paraît que Maïa est morte. Mais comme elle était remariée, la tombe près de celle de Palante où elle aurait dû aller à Hillion restera vide. Je ne peux pas penser à cela sans une espèce d'épouvante » [LGC 8.3.10].

13. — LOUIS GUILLOUX À ALBERT CAMUS

13 novembre 1946

Mon cher Camus,

C'est ce qu'on appelle un contretemps — Je remettrais bien à huit jours plus tard, mais, comme je dois aussi aller en Bourgogne, autant commencer par la Bourgogne et revenir à Paris quand tu y seras. Comme tu ne pars que lundi, peut-être pourrions-nous nous voir un instant dimanche soir, pour préciser nos arrangements. D'ici là, tu as encore le temps de me répondre, si dimanche n'était pas possible. J'arriverai à Paris vers six heures et demie du soir. J'irai loger à Fontenay-aux-Roses chez la nommée Yvonne Oulhiou[1], professeur à l'école supérieure de jeunes filles du lieu. Il se peut d'ailleurs que la dite sus-nommée m'attende à Paris ; et ne pourrait-on dîner quelque part ensemble si tu étais libre et si tu pouvais être à Montparnasse ? Sinon, un mot. Et à huit jours plus tard. Je quitterais moi aussi Paris lundi pour la Bourgogne. J'en reviendrais le dimanche suivant. Ensuite, nous verrions. Quoi qu'il en soit, ne dérange rien pour moi dimanche. J'ai pourtant grand hâte de te voir.

À bientôt en grande joie. Je te serre très fort les mains. Amitiés à la maman des deux moutards.

Louis Guilloux

1. Yvonne Oulhiou est une ancienne élève de Jean Grenier, devenue une amie très proche ; Guilloux la connaît bien également ; Grenier et lui l'appellent familièrement « Youyou ». Guilloux séjourne chez elle, à Fontenay, quand il est de passage à Paris.

14. — ALBERT CAMUS À LOUIS GUILLOUX[1]

[22 novembre 1946]

RENTRERAI MARDI SOIR OU MERCREDI MATIN AMITIÉS CAMUS

1. Télégramme posté de Lourmarin, adressé à « Guilloux, chez Robert 24 rue Chaudet. Joigny ». Guilloux rend régulièrement visite à ses vieux amis, Georges et Émilienne Robert, qui avaient été pour lui comme une seconde famille lors de ses tentatives pour prendre son indépendance au début des années 1920. Avec leur fille, Lucienne, ils déménagent souvent au gré des affectations de Georges, professeur d'histoire ; mais ils restent les confidents privilégiés de Guilloux.

15. — LOUIS GUILLOUX À ALBERT CAMUS[1]

[13 décembre 1946]

ACHÈVE TRÈS BELLE LECTURE[2] DOIS-JE RENVOYER
TEXTE OU ATTENDRE SUITE VOUDRAIS RELIRE AFFEC-
TUEUSEMENT GUILLOUX

1. Télégramme envoyé de Saint-Brieuc à Paris.
2. Camus a envoyé à Guilloux le manuscrit des premières
parties de *La Peste* ; il lui envoie la fin le 13 décembre mais lui
redemande le tout en urgence le 20 décembre.

16. — ALBERT CAMUS À LOUIS GUILLOUX[1]

[13 décembre 1946]

AI EXPEDIÉ LUNDI DERNIÈRE PARTIE PEUX TOUT GAR-
DER MERCI AFFECTUEUSEMENT CAMUS

1. Télégramme envoyé de Paris à Saint-Brieuc.

17. — ALBERT CAMUS À LOUIS GUILLOUX[1]

[20 décembre 1946]

ATTENDS MANUSCRIT POUR FABRICATION AFFECTUEU-
SEMENT CAMUS

1. Télégramme envoyé de Paris à Saint-Brieuc.

20 décembre 1946

Mon cher Camus,

Ton télégramme arrive à l'instant, et je boucle tout pour courir à la poste te renvoyer ton manuscrit. Je suis désolé de l'avoir gardé si long-temps, mais c'est que je suis tombé dans le mal propre à Grand, et que je me suis laissé fasci-ner par le détail des choses. Je ne sais si j'ai eu raison, mais il m'a semblé qu'il fallait d'abord se livrer à un travail assez bête de recherche de poux. Fasse le ciel qu'à force d'avoir cherché la petite bête, je ne passe pas à tes yeux pour une très grosse. Toutefois, ce malheur me semble-rait encore supportable s'il était compensé par le fait que quelques-unes de mes remarques[1] te fussent utiles, si je pouvais me dire que, si peu que ce soit, j'aurai pu contribuer à éviter quelques petites négligences, dans ce livre *très beau*. Je ne t'en dis pas davantage pour le moment, mais je pense que tu peux y aller carrément — Une part de la lenteur est venue aussi du fait que j'ai voulu faire deux lectures. Je croyais avoir un peu plus de temps devant moi, et aussi, que tu étais moins pressé. Tâche de ne pas m'en vouloir. Je serais très peiné d'avoir été la cause du moindre contretemps, quand tu sais bien que je n'ai que le désir de te rendre service. Tu trouveras ci-joint des feuillets contenant mes remarques. Elles sont toutes de détail, je comptais ensuite t'écrire plus longuement sur l'ensemble. — Mais il faut pour le moment aller au plus pressé. Je voudrais bien que tu me fasses envoyer des épreuves dès qu'il y en aura. Je ferai de mon mieux pour les lire plus vite que je n'ai lu le manuscrit.

Je suis d'accord sur les thèses du livre en général. Rieux me paraît parfaitement sorti. Sur les questions d'équilibre et de coups de ciseaux, je ne crois pas qu'il y ait rien à entreprendre. Le mouvement du livre est acquis. Quant à la question du Chroniqueur, il ne me semble pas, là non plus, qu'il y ait rien à changer, sauf deux ou trois points légers que j'ai notés, mais dans l'ensemble rien. Ton télégramme a interrompu ma seconde lecture. J'étais à la recherche d'un passage où il est fait, me semble-t-il, allusion à des notes de Rieux lui-même — Est-ce que je me suis trompé ? Ne peux-tu me faire renvoyer un texte de la dernière partie pendant qu'on fabriquera ? Excuse la hâte et l'imbécillité de cette lettre qui n'est pas du tout celle que je voulais — Mais rien à faire pour le moment. Il faut courir à la poste — Je t'en supplie, fais-moi grâce et ne me juge pas trop bête. Ce que je te dis là est idiot — Mais je suis pris de court. J'aime profondément ce livre, voilà ce que je veux te dire sans phrases, le pourquoi viendra une autre fois, et d'ailleurs tu sais bien pourquoi — mais aussi pour sa transparence pudique, son timbre, toi-même. À bientôt — Comme je voudrais être auprès de toi en ce moment ! Je suis avec toi, de tout cœur, mon vieux, et, dans la mesure où j'en ai une, de toute ma tête.

Louis Guilloux

---

1. Ce précieux document contenant les remarques de Guilloux sur *La Peste*, dont Camus dit avoir tenu le plus grand compte, n'a malheureusement pas été retrouvé.

Vendredi [27 décembre 1946]

Mon vieux Guilloux,

Ce mot seulement pour te remercier du travail auquel tu t'es livré et qui m'a été tout à fait utile. J'ai fait *toutes les modifications indiquées*. Elles étaient justifiées. Je n'ai rien changé cependant de ce qui concerne le narrateur. Le narrateur est *Rieux lui-même* ce qui explique des tas de choses du livre. Je le disais dans les dernières pages mais sans doute n'était-ce pas assez clair. Aussi ai-je refait le début du dernier chapitre, et je l'ai dit clairement « Il est temps d'avouer que le narrateur est le docteur Rieux lui-même[2]. » Et je lui fais justifier son ton d'objectivité par le fait que la souffrance des autres était la même que la sienne. Je tiens beaucoup à ça. C'est le secret du livre, son retentissement, et c'est ce qui devrait obliger à le relire, si le livre est réussi.

Merci, vieux, de toute l'aide que tu m'as apportée. J'ai donné le bouquin ce matin à la fabrication, ayant encore travaillé une partie de la nuit. Maintenant, je n'y vois pas plus clair, mais j'en suis délivré et c'est à toi que je le dois. Heureuse année pour vous trois. Je t'embrasse.

A. Camus

1. Papier à en-tête de la NRF Librairie Gallimard. Guilloux fait taper cette lettre et envisage de la publier dans ses *Carnets* (mais à la date — manifestement erronée — du 27 décembre 1948) ; il ne la garde pas pour la publication [LGO CII 01.01 f° 102].
2. La phrase exacte est celle-ci : « Cette chronique touche à

sa fin. Il est temps que le docteur Bernard Rieux avoue qu'il en est l'auteur. Mais avant d'en retracer les derniers événements, il voudrait au moins justifier son intervention et faire comprendre qu'il ait tenu à prendre le ton du témoin objectif » (*La Peste*, cinquième partie, *OC* II, p. 243).

20. — LOUIS GUILLOUX À ALBERT CAMUS

2 janvier 1947

Mon vieux,

J'ai été bougrement content de ta lettre et j'y aurais répondu aussitôt sans ces sacrées fêtes de Noël, Nouvel An, vacances et autres chienlits au cours desquelles je n'ai pas été seul une minute — Je n'ai rien foutu depuis 15 jours, pas même touché le porte-plume — Juge donc si j'étais dans des dispositions à t'écrire. Si ma lecture de ton texte t'a été utile, c'est la meilleure fête qui soit. Envoie-moi des épreuves. J'avais bien vu naturellement le truc du narrateur, mais je me sentais tout de même un peu gêné je ne sais pas pourquoi. J'attends de voir le remaniement au dernier chapitre. Je suis entièrement d'accord avec ce livre et ces directions, comme je suis d'accord avec les articles de *Combat*. J'attends d'avoir achevé mon propre boulot pour me mettre à dire publiquement un certain nombre de choses. Jusque-là, motus. Que fais-tu ? Donne des nouvelles ! Francine est-elle partie pour l'Algérie ? Comment vas-tu, et quand nous reverrons-nous ? Je t'embrasse.

Louis Guilloux

Naturellement Charlot[1] qui devait m'envoyer des manuscrits à lire ne m'a rien envoyé ; c'est dans l'ordre —

1. S'agit-il de textes liés à *L'Arche*, revue publiée par l'éditeur Edmond Charlot (voir la lettre du 8 mars 1946, note 3) ? Mais Guilloux ne figure ni au comité de direction de la revue ni dans les listes de collaborateurs. Il s'agit plus sûrement de manuscrits envoyés aux Éditions Charlot ; celles-ci, installées à Paris après la Libération, connaissent de graves difficultés financières qui conduiront Edmond Charlot à repartir à Alger en 1950 (voir Michel Puche, *Edmond Charlot, éditeur*, préface de Jules Roy, Éditions Domens, 1995 ; et Guy Basset, *Camus chez Charlot*, Éditions Domens, 2006 [« Chez Charlot »]).

21 — ALBERT CAMUS À LOUIS GUILLOUX[1]

15 janvier [1947]

Cher Guilloux,

Je pars demain pour Briançon[2]. J'ai passé une semaine abrutissante à m'occuper des affaires de *Combat*[3]. Là-bas au moins je retrouverai un peu de solitude et de réflexion. J'en profiterai pour t'écrire autrement que de cette façon stupide. À moins que je ne réalise tout d'un coup ma fatigue et que je ne dorme pendant quinze jours.

Affectueusement

Camus

1. Papier à en-tête de la NRF Librairie Gallimard.
2. Camus part pour Briançon en raison de sa santé ; il y restera trois semaines. Sa famille est à Oran.
3. *Combat* est un journal, d'abord clandestin puis libre, issu

de la Résistance. Camus, qui y collaborait depuis 1944, en a été le rédacteur en chef et l'éditorialiste régulier jusqu'en septembre 1945, date à laquelle il s'est éloigné du quotidien dirigé par Pascal Pia, en raison de divergences graves avec celui-ci sur l'indépendance politique du journal. Mais *Combat* connaissant de grosses difficultés financières, Camus, désireux d'éviter le sabordage envisagé par Pia, s'en est rapproché et y a publié, en novembre 1946, les huit articles de la série « Ni victimes ni bourreaux ». Cependant, début 1947 les problèmes financiers perdurent, accentués par une grève des ouvriers parisiens du livre ; les dissensions internes s'aggravent, entre autres à cause de rumeurs selon lesquelles Pia aurait rallié le camp gaulliste (voir Jacqueline Lévi-Valensi, *Camus à « Combat »*, Gallimard, 2002 [*Cahiers Albert Camus* n° 8], en particulier, p. 87-99).

22. — ALBERT CAMUS À LOUIS GUILLOUX

2 février [1947]

Cher Guilloux,

Il y a plus de quinze jours que je suis là, disposant de toutes mes journées et les trouvant même longues, n'ayant parlé à personne qu'aux braves gens de l'hôtel et, quoique venu avec la ferme intention de t'écrire longuement, je n'ai pas trouvé le moyen de le faire. Aujourd'hui, je me suis aperçu que je partais à la fin de la semaine et je me suis pris enfin par les épaules pour me mettre à ma table. Je ne sais trop pourquoi d'ailleurs. Après l'enfer de Paris, cette solitude complète m'a vidé d'un coup. J'ai passé mon temps à dormir et à travailler à mon truc sur la révolte et j'ai vécu comme ça, en cocon. Hier, pour me secouer, et me sentant reposé, en belle forme, j'ai chaussé des skis. Résultat, la main droite démolie, d'où mon écriture.

J'avais imaginé que je t'écrirai d'ici une première

lettre dite anonyme[1]. Mais, outre ma transformation en fantôme, je me suis aperçu que c'était bougrement difficile d'être anonyme. Peut-être, puisque tu as mieux mijoté la chose, pourrais-tu commencer. Et je répondrai comme je pourrai. Après quoi, nous jugerons sur pièces. (À propos, Grenier a accepté de travailler aussi dans l'innommé[2].)

J'ai réfléchi à beaucoup de choses et il n'en reste rien, sinon cette espèce de décantation que vous donne la solitude. On se sent les idées plus fraîches. Il n'empêche que je ne sors pas de ma « révolte ». Il est vrai qu'il s'agit de traiter du meurtre. C'est une histoire que je traîne depuis quatre ans, comme *La Peste*. Et il faut que je m'en débarrasse, même mal[3]. Après quoi, je m'offrirai une année de vacances intérieures.

Mais tout cela est sans importance. Je m'inquiète un peu de toi. Que deviens-tu ? Où en sont les romans ? Comment va ta fille ? Dis-moi tout cela, pour que je reprenne goût à la conversation, que je relie mes idées et que je redevienne un peu sociable.

En rentrant à Paris, je vais être débordé parce que j'ai accepté, en plus de ce que j'ai à faire, de soulager un peu Pia à *Combat*[4]. Pour moi, c'est l'enfer par amitié, ou à peu près. Mais je me suis promis de prendre une semaine au printemps et d'aller te voir pour que nous ayons un peu de loisir à partager (je ne partirai pas cette année en Amérique du Sud[5]).

Pardonne-moi cette lettre stupide et vide. Mais elle me ressemble en ce moment. Et de toutes façons, ne doute pas de ma solide et fidèle amitié.

A. Camus

Je serai dimanche 9 février à Paris. Écris-moi à ma nouvelle adresse : 18 rue Séguier 6[e6] ou à la NRF, comme d'habitude.

N'aurais-tu pas par hasard une édition (avec traduction) des fragments d'Épicure[7] ?

1. Sur ce projet, qui ne se réalisera pas, voir les lettres de 1945 et 1946.

2. Camus écrivait à Jean Grenier, le 21 décembre 1946 : « Je vous écrirai une autre fois pour vous demander de participer à des *Chroniques anonymes* dans ma collection. Guilloux a dû vous parler de cette idée. Qu'en pensez-vous ? » (A. Camus et J. Grenier. *Correspondance, op. cit.*, p. 119). Le 12 février 1947, Grenier lui répond : « Je pense à ces chroniques "anonymes" dont vous avez eu l'idée. C'est entendu » (*Ibid.*, p. 126). Le projet n'ira pas à son terme (voir la lettre du 21 novembre 1945, note 2).

3. *L'Homme révolté* paraît en 1951 ; mais sa genèse commence bien avant puisque *La Peste* fait partie de ce « cycle de la révolte ». Dès 1942, Camus évoque dans ses *Carnets* son « essai sur la révolte » (*OC* II, p. 940) ; et, en 1945, il publie un long texte « Remarque sur la révolte » (*OC* III, p. 325-337) qu'il présente à Jean Grenier comme « l'une des parties de mon travail en cours » (voir les notices et notes de Raymond Gay-Crosier et Maurice Weyembergh aux « Appendices » de *L'Homme révolté, OC* III, entre autres p. 1213 et 1259).

4. Camus et Pascal Pia sont très liés depuis que ce dernier a fait entrer Camus à *Alger républicain* en 1937 puis lui a trouvé du travail à son arrivée en France en 1940 ; Pia a été témoin du mariage de Francine et Albert Camus, le 3 décembre 1940 à Lyon. Guilloux et Pascal Pia ont également des liens d'amitié : on sait par exemple que c'est avec lui que Guilloux a corrigé les épreuves du *Sang noir*. Le 2 janvier 1947, Camus précisait à Francine : « Pia et quelques-uns voulaient lâcher. J'ai dit (et c'est peut-être mon tort) que dans les conditions actuelles ce serait une démission. Pia m'a répondu que pour diriger un journal il fallait croire à sa réussite, qu'il n'y croyait pas et qu'en conséquence il devait partir. Finalement, il a accepté de rester si je devenais le directeur du journal, lui faisant le travail matériel et moi la réforme d'abord puis la supervision. L'expérience est fixée à six mois. [...] Cela représentera une présence de six à neuf tous les soirs. Je m'arrangerai pour ne pas y aller le samedi. Ce qui me donnera presque trois jours pour moi » (lettre citée par Olivier Todd, *op. cit.*, p. 434-435).

5. Ce voyage en Amérique du Sud aura lieu en juillet et août 1949.

6. Depuis décembre 1946, les Camus sont officiellement locataires d'un appartement, propriété des Gallimard, au 18, rue Séguier, dans le sixième arrondissement de Paris.

7. Deux jours après, le 4 février 1947, Camus pose la même question à Grenier, qui lui donne des indications précises dans sa réponse du 12 février (A. Camus et J. Grenier, *Correspondance*, *op. cit.*, p. 122 et 125-126). Camus a besoin d'Épicure, et de toute la philosophie grecque, pour son « essai sur la révolte », qui deviendra *L'Homme révolté* ; « [...] je suis étonné par la quantité de choses toujours vraies et neuves que les Grecs ont formulées » (*Ibid.*, p. 122).

23. — LOUIS GUILLOUX À ALBERT CAMUS

22 février 1947

Mon cher Albert,

Je ne t'écris pas, ni à personne, parce que depuis plus d'un mois je turbine comme un Noir. Si ça dure encore un autre mois, j'aurai terminé un « machin » et je serai d'ailleurs parfaitement abruti. Le turbin ne m'empêche pas de penser à toi. Tu m'es très cher — J'ai hâte de finir, et que nous nous voyions. Je n'ai montré mon ours[1] à personne, Grenier est hélas trop loin. Je te le montrerai d'abord. Fasse le ciel que je ne me sois pas foutu dedans. Je passe par des alternatives de froid et chaud, comme dans ces cas-là.

Métier de cinglé ! Mais c'est le seul.

On m'a raconté la très délicieuse histoire d'une excellente dame de la bourgeoisie, qui a découvert que le crissement des ciseaux attire les guêpes. Ces charmantes bestioles sont paraît-il très friandes de cette musique-là. Aussi, l'excellente

Madame, quand vient l'été, par les beaux jours de soleil, aime-t-elle à se planter devant la fenêtre, armée d'une magnifique paire de ciseaux qu'elle manœuvre habilement pour les faire crisser. Je ne sais pourquoi j'imagine qu'elle tient ses ciseaux au-dessus de sa tête. Les petites bestioles dorées accourent, à cette ravissante musique — L'excellente personne est bientôt entourée de guêpes — Alors, d'un coup preste, vif, de ses ciseaux, elle les coupe en deux[2]…

Qu'est-ce que tu dis de cette Madame Tribulat Bonhomet[3] ?

Ah les vaches !…

Adios. Écris-moi. Comment va ta main ? Il ne faut jamais exposer ses mains, sinon on ne pourra plus écrire.

Et Francine ? Et les comiques ?

Et tout ?

On crève de froid — Je serai le dernier des imbéciles si je passe encore un hiver ici.

Ton ami

Louis Guilloux

1. Guilloux désigne ainsi son gros roman, *Le Jeu de patience* ; voir aussi sa lettre du 2 mai 1949, quand l'ouvrage est terminé.
2. Guilloux a repris, dans *Les Batailles perdues*, l'anecdote de la femme aux ciseaux. Celle-ci y devient la mère d'un procureur de la République, « bonne catholique […], mère de famille parfaite, bonne bourgeoise, bonne épouse, […]. Fine, élégante, elle brandissait ses grands ciseaux au-dessus de sa tête, […] » (Gallimard, 1960, p. 357).
3. Tribulat Bonhomet est le personnage principal du recueil de nouvelles éponyme que Villiers de L'Isle-Adam publie en 1887. Présent dans chacune des cinq nouvelles, ce positiviste bête et méchant se distingue par un hygiénisme qui confine à l'eugénisme. Guilloux s'intéresse tout particulièrement à Villiers, Briochin célèbre ; il aurait même envisagé de publier un texte sur ce compatriote.

24. — ALBERT CAMUS À LOUIS GUILLOUX[1]

[juin 1947]

VIENDRAI SEMAINE PROCHAINE AFFECTUEUSEMENT
ALBERT CAMUS

1. Télégramme envoyé de Paris à Saint-Brieuc ; la date exacte
est illisible sur le cachet.

25. — ALBERT CAMUS À LOUIS GUILLOUX[1]

[15 juin 1947[2]]

FATIGUE ON M'EXPÉDIE MONTAGNE UN MOIS[3] VIEN-
DRAI RETOUR T'ÉCRIRAI NOUVELLE ADRESSE DÉSO-
LATION ET TENDRESSES CAMUS

1. Télégramme envoyé de Paris à Saint-Brieuc.
2. Guilloux note le jour même dans ses *Carnets* : « J'attendais
Camus (depuis longtemps). Aujourd'hui, un télégramme, disant
qu'il ne peut venir. Mon désappointement est immense » (*op. cit.*,
p. 54). Il avait écrit : « ce télégramme » [LGO CII 01.01 f° 44],
où se lisait mieux encore la désolation. Camus arrivera à Saint-
Brieuc quelques semaines plus tard.
3. À la fois pour sa santé et pour emmener sa famille en
vacances, Camus s'installe au Panelier, où il avait séjourné
en 1939, lors de sa première grave rechute de tuberculose. Le
Panelier est une maison de famille, située près du Chambon-
sur-Lignon en Haute-Loire, tenue par Mme Oettly, tante par
alliance de Francine.

27 juin [1947]

Mon vieux Guilloux,

Je suis bien coupable de ne pas t'avoir écrit encore la longue lettre que je me propose de t'envoyer. Mais il y a eu *Combat* et sa fin malheureuse[2], la sortie de *La Peste* et ce stupide prix que j'ai refusé en vain jusqu'au dernier moment[3]. Et finalement j'ai payé tout ça par une dépression subite, avec évanouissement. Et mon docteur m'a expédié ici, où je suis depuis une dizaine de jours que j'ai passés surtout à dormir et à cuver à la fois ma fatigue et la déception assez amère où m'a laissé *Combat*, pour diverses raisons que je t'expliquerai quand nous nous verrons.

Maintenant, ça va mieux et j'ai même recommencé à travailler. C'est un grand pays couvert par les vents, coupé de prairies, de bois, et de rivières. L'air y est léger et, surtout, je suis à quatre kilomètres du village le plus proche. C'est la solitude. Je t'écris sur mes genoux, au milieu d'un pré, entouré d'enfants qui sont, bien entendu, bruyants, mais qui n'empêchent pas la solitude.

J'étais désolé de renoncer à ce voyage à Saint-Brieuc. Mais c'est partie remise. Je rentre le 15 juillet. Et si tu es toujours là-bas, je viendrai te voir à la fin juillet. Il y a mille choses dont je voudrais parler avec toi, et deux ou trois surtout qui me poursuivent.

La Peste a paru. Le succès que le livre obtient me laisse déconcerté. Et il y a des applaudissements qui ne font pas plaisir. Du reste, je crois que je connais bien les défauts du livre.

Je travaille en ce moment aux dialogues que Barrault m'a demandé de faire pour un spectacle auquel il travaille depuis quatre ans et justement sur *La Peste*. Mais il ne s'agit ni d'une pièce, ni d'une adaptation de mon livre. C'est une grande machine à moitié lyrique[4]. Mais je voudrais surtout te demander conseil pour la révolte. J'aimerais terminer tout ceci et la pièce que je prépare (une vraie, cette fois) avant le printemps. Je partirai alors en Amérique du Sud pour six mois et je me demanderai là-bas si, oui ou non, je dois continuer à écrire.

Je te dis tout ça très mal. Mais j'ai les idées encore confuses. Simplement, j'ai l'impression d'avoir une période à liquider.

Mais je voudrais savoir ce que tu deviens — où en est ton bouquin, et ce que tu penses. Le plus simple, naturellement, est d'aller te voir. Mais en attendant, écris-moi ici. Je souffle enfin. J'ai l'impression de pouvoir me tourner vers ceux que j'aime, dans le loisir. J'espère seulement que le 15 je serai tout à fait rétabli, nanti de quelques kilos supplémentaires et les idées plus claires.

À bientôt. Écris. Affectueusement à vous trois.

A. C.

---

1. Lettre envoyée du Chambon-sur-Lignon ; papier à en-tête de la NRF.
2. Le 1er juin 1947, devant la situation financière catastrophique de *Combat*, ses actionnaires, dont Camus et Pia, sont contraints de céder le journal à Claude Bourdet et Henri Smadja, renonçant ainsi au projet qui les animait depuis 1944. La signature s'étant accompagnée d'une mise au point très amère de Pia, Camus, malgré des mois d'efforts, perd à la fois un journal et un ami (voir la « Préface » de Yves-Marc Ajchenbaum à la

Correspondance 1939-1947 entre Albert Camus et Pascal Pia, Fayard-Gallimard, 2000, en particulier p. XXII-XXV ; voir aussi, dans les « Annexes » de ce livre, p. 150-151, la lettre adressée le 30 octobre 1978 par Pascal Pia à Herbert Lottman, biographe de Camus, sur la manière dont il avait narré la fin de *Combat* ; voir également le récit de cette fin de *Combat* par Olivier Todd, *op. cit.*, p. 435-436).

3. Pour *La Peste*, Camus a reçu le Prix des critiques.

4. Cela donnera *L'État de siège*, qui sera créé au théâtre Marigny le 27 octobre 1948.

27. — LOUIS GUILLOUX À ALBERT CAMUS

Saint-Brieuc, 13 rue Lavoisier
Mercredi, juillet 1947

Mon vieux Camus,

Tu penses si j'ai été désappointé que tu ne sois pas venu, mais ça n'était pas possible, je l'ai bien vu ; je souhaite fort que tu sois remis de ces fatigues et je t'attends à la fin du mois, voilà ce qu'il y a de plus clair. Il se peut, d'autre part, que nous nous voyions un peu à Paris si tu y es vers le 14. J'ai en effet fort envie d'y aller voir notre Jean Grenier, qui a débarqué à Marseille le 4 et annonce qu'il sera à Paris aux environs du 10. Seulement je ne suis pas encore très sûr de pouvoir partir, pour toutes sortes de raisons domestiques et autres encore non réglées. Je te tiendrai au courant. Si je pars, ce sera samedi prochain, qui sera le 12, je crois.

J'ai grand hâte de te voir[1], et grand besoin, mais c'est ici, surtout, que je voudrais que nous puissions vivre ensemble, un peu. J'ai beaucoup de choses à te dire et à te demander. Ta dernière lettre pose de grandes questions.

Nous y réfléchirons ensemble. Pour le moment, je ne t'écris qu'un mot pour régler les questions de chemins de fer — Comme tu ne m'as pas donné ton adresse actuelle, j'envoie ce mot rue Séguier, d'où, j'espère, on fera suivre — Tu n'auras pas le temps de me répondre ici avant samedi, si je pars — mais tu pourras m'atteindre chez Yvonne Oulhiou, professeur, École Supérieure de jeunes filles, Fontenay-aux-Roses. — Même adresse pour Grenier.

Voilà.

Je relis *La Peste*, lentement — pour la troisième fois. C'est un très grand livre, et qui grandira. Je me réjouis du succès qu'il obtient — mais le vrai succès sera dans la durée, et par l'enseignement par la beauté. Je sais bien qu'on a toujours l'air un peu ballot quand on emploie ces grands mots, mais tant pis. Ce livre restera comme une des grandes œuvres de ce temps, j'en suis sûr. Le relisant, je suis de plus en plus frappé d'une chose : la pudeur. Je crois cette vertu essentielle en grand art.

À bientôt. Excuse le précédent paragraphe. Écris ou télégraphie ce que tu fais. Nous pensons beaucoup à toi tous les trois. Amitiés à Francine et aux loupiots. Je t'embrasse de tout cœur, mon vieux frère,

Louis Guilloux

1. Guilloux est plus exubérant dans sa lettre à Jean Grenier datée du 26 juillet : « En voiture ! In carroza ! Allons vite ! Tulutt ! Allez roulez ! Je vous embrasse tous. J'envoie en même temps un mot à Camus. Que personne ne rate le train ! » [LGC 8.3.11].

28. — ALBERT CAMUS À LOUIS GUILLOUX[1]

[3 août 1947]

CAMUS RETARDÉ PAR COMTESSE ARRIVERONS DIX SEPT HEURES

1. Télégramme envoyé de Saint-Malo. Camus, Jean Grenier et son épouse font en voiture le trajet de Paris à Saint-Brieuc ; sur le chemin, ils visitent Combourg et Saint-Malo. Jean Grenier a raconté ce voyage dans *Albert Camus. Souvenirs* (Gallimard, 1968, p. 98-102). Roger Grenier a ajouté quelques détails piquants dans l'*Album Camus* (Gallimard, « Albums de la Pléiade », 1982, p. 185), par exemple que Camus surnomme Desdémone la Citroën 11 CV avec laquelle ils font le trajet. Mais la « comtesse » reste mystérieuse ; aurait-elle quelque chose à voir avec leur visite du château de Combourg narrée par Jean Grenier : « [...] on nous fit quelques difficultés. La maîtresse de maison descendit pour voir de quels visiteurs il s'agissait. Le nom d'Albert Camus lui était inconnu. Elle nous demanda quelles pièces nous désirions visiter de préférence. "La chambre de Chateaubriand" fut notre réponse. "Chateaubriand ? Lequel, le chef de famille ou l'auteur ?" Très surpris de cette question, nous répondîmes l'auteur ! Et en effet le grand écrivain n'était que le cadet » (*id.*, p. 101).

29. — ALBERT CAMUS À LOUIS GUILLOUX[1]

17 septembre [1947]

Mon vieux Louis,

C'était à moi de t'écrire et je n'ai cessé de vouloir le faire pour te remercier de ces journées de Saint-Brieuc. Tu sais, j'ai constaté que je n'avais pas beaucoup d'amis. Des tas de gens m'entourent, mais ils *demandent* toujours et je n'en reçois rien. Là-bas, au contraire, entre Grenier et toi, cette complicité de l'intelligence, ces appels constants, une excitation heureuse..., oui, je crois que j'ai été heureux avec vous[2]. C'est pour ça sans doute que depuis mon retour ici tout me pèse et tout me paraît de plus en plus difficile à faire. Si l'on doute, si l'on crée, si on a envie d'aimer ou d'être aimé, à qui le dire ? Et si l'on a envie de tout nier, et soi-même ?

Pourtant, je ne t'ai pas écrit. Mille ennuis, l'argent, la coqueluche pour les gosses, Francine débordée par son travail, et moi incapable d'une règle de conduite... enfin, tu connais ça. Pourtant, j'ai pensé à toi. Voici, dans l'ordre :

1) Tu as reçu sans doute le Savinkov[3]. Tu vas recevoir *Les Temps modernes*[4].

2) Les Gallimard favorables à l'augmentation des mensualités. Écris et fixe un chiffre (demande le double). Si ça t'ennuie, je le ferai moi-même.

3) On te tape (ma secrétaire) la lettre sur Palante[5].

4) *Caliban*, je suis les pourparlers[6].

5) Reste un boulot et ton introduction aux Relations Culturelles. À venir

J'oubliais l'appartement. J'en ai parlé, il faut attendre. Mais ce sera difficile. Essaie d'interviewer Malraux[7] sur le sujet, il doit avoir des occasions.

Je n'ai toujours pas l'auto. Tout va de mal en pis de ce côté, et l'essence est aussi rare que l'absinthe. Si bien que ce n'est pas très facile de t'aller voir. Je te tiendrai au courant.

M'enverras-tu bientôt « Pas moi[8] ». L'as-tu repris ?

Et *Le Jeu de patience* ? Tu sais que les lettres à Grenier sont très belles, on pourrait les publier soit seules[9], soit avec d'autres (Grenier, moi). Titre : *Lettres imaginaires et anonymes à un ami réel*.

Et puis le reste, la vie, les emmerdements... Il faudrait nous voir, oui. Travailler est la seule issue pour le moment. Écris. Je voudrais remercier ta femme pour son accueil qui m'a beaucoup touché — et Yvonne, qui m'a permis de connaître enfin une gare à fond[10]. Fais-le pour moi.

Je t'embrasse

A. C.

— Je lis Palante[11]. Sensible et pas toujours profond. Mais on est toujours ému.

Les [*ill.*] terribles et beaux je vais te les renvoyer.

Ah ! *Compagnons* est très beau ! C'est ça que je propose à *Caliban*[12].

1. Papier à en-tête de la NRF.
2. Camus arrive à Saint-Brieuc avec Jean Grenier et sa femme le 5 août 1947. Plusieurs photos sont prises pendant leur séjour, en particulier une, manifestement prise par Guilloux lui-même, où l'on voit Camus, Grenier, Yvonne et Renée Guilloux (voir le dossier photographique central des *Carnets* de Grenier). Guilloux emmène Camus au cimetière Saint-Michel sur la tombe de son père, Lucien Camus, mort le 11 octobre 1914, des suites d'une blessure sur le front de la Marne. De son émotion devant la tombe de son père, Camus ne dit rien directement, ni sur le moment, ni ensuite. Quand, fin 1951, il l'évoque dans ses *Carnets*, c'est déjà sur le mode de la fiction : « *Roman*. [...] Les cimetières militaires de l'Est. À trente-cinq ans le fils va sur la tombe de son père et s'aperçoit que celui-ci est mort à trente ans. Il *est devenu l'aîné* » (*OC* IV, p. 1117). Dans les faits, en 1947, Camus avait un peu moins de trente-quatre ans, et son père avait été tué à vingt-sept ans. Dans le deuxième chapitre du *Premier Homme*, Jacques Cormery va au cimetière de Saint-Brieuc à quarante ans ; la révélation de ce « père cadet » est pour lui un moment bouleversant et fondateur (*OC*, IV, p. 754-755).

3. Camus rend à Guilloux le livre de Savinkov, *Ce qui ne fut pas*, que celui-ci lui avait envoyé en mars 1946 ; mais son projet de le republier chez Gallimard, avec une préface soit de Guilloux soit de Malraux, ne s'est pas réalisé.

4. Il peut s'agir du numéro spécial des *Temps modernes* sur l'Italie (août-septembre 1947), qui contient notamment un article sur Gramsci et des lettres de prison de celui-ci.

5. Guilloux a écrit cette « lettre Palante » le 10 novembre 1946 (voir la lettre du 10 novembre 1946, note 1) ; mais on ne sait pas quand il l'a envoyée — ou donnée — à Camus.

6. La revue *Caliban* dirigée par Jean Daniel a commencé à paraître en janvier 1947. Le titre de la revue fait référence au livre de Guéhenno, *Caliban parle* (1928), que Guilloux avait véhémentement défendu auprès de *Monde* en 1929. Camus est membre du comité de rédaction de la revue, à l'aventure de laquelle il associera Guilloux à plusieurs reprises (entre autres dans le numéro 39, en mai 1950, où le texte de Tolstoï, *Maître et serviteur*, est publié avec une présentation de Guilloux). Dans le numéro 36, en février 1950, Jean Daniel associe les deux amis : « Sous quels auspices plus fidèles que ceux de Camus et Guilloux pourrait être célébré notre troisième anniversaire qui témoigne, comme nous le disions déjà dans notre numéro 4, d'un effort accompli en marge de tous les conformismes. » Dans la dernière livraison de la revue (numéro 54, août 1951), où Camus donne une interview sur le métier de journaliste, un encart de Jean Daniel précise : « C'est en quelque sorte le numéro de l'amitié ; il devait contenir des articles de Louis Guilloux, Henri Calet, Havet, et Bénichou ; mais ces articles ne sont pas arrivés à temps » (voir Annexes).

7. Depuis leur rencontre en 1927, Guilloux et André Malraux sont liés par une admiration réciproque et par une vive amitié. Malraux ne ménage pas ses efforts quand Guilloux peut avoir besoin de son aide.

8. « Pas moi » est une brève nouvelle de Guilloux, qui a été publiée, avec une illustration de Mendjizki, le 9 avril 1946 dans *Les Étoiles*, « hebdomadaire de la pensée française », organe de l'Union nationale des intellectuels présidée par Georges Duhamel. À partir d'un fait divers réel, attesté par des rapports de police de 1945, gardés par Guilloux, elle raconte le suicide par pendaison d'une femme russe rencontrée en Allemagne (STO) par un Breton des Côtes-du-Nord. La nouvelle est très belle ; sans doute Guilloux l'a-t-il ensuite reprise en l'étoffant puisque Jean Grenier lui écrit le 20 août 1947, donc peu après son passage à Saint-Brieuc avec Camus : « *Pas toi* [*sic*] que j'ai remis à Camus pour qu'il te le rende est plein de grandes choses — comment dire ? — cela rappelle Dostoïevsky. J'admire sans réserve *le récit* et le *dialogue. Tu devrais absolument faire du théâtre.* Penses-y

avant n'importe quoi. » Camus lui a sans doute remis le manuscrit en lui conseillant quelques aménagements et il attend le texte repris. Celui-ci ne sera pas publié en France mais à Zagreb en 1953 : Guilloux y séjourne, en mai 1953, dans le cadre de sa mission UNESCO et y rencontre nombre d'intellectuels et d'éditeurs [LGO CII 03.02.02]. Il découpe et colle sur des feuillets de carnet petit format les huit pages de cette publication [LGO Presse 03.01.84].

9. De ses lettres à Grenier, Guilloux composera *Absent de Paris*, publié chez Gallimard en 1952.

10. Yvonne Guilloux, alors âgée de quinze ans, garde un souvenir ébloui de ce séjour de Camus : il lui a appris à se mettre du rouge à lèvres et l'a emmenée danser au casino de Trouville... (entretien avec Yvonne Guilloux, le 13 mars 2012).

11. Camus note alors dans ses *Carnets* : « Palante (S.I.) : "L'humanisme est une invasion de l'esprit prêtre sur le terrain du sentiment... C'est la froideur glaciale du règne de l'Esprit" » (*OC* II, p. 1094). S.I. désigne l'ouvrage de Palante, *La Sensibilité individualiste*, Alcan, 1909 (la phrase citée se trouve page 41). Quelques jours plus tard, il note : « Palante dit justement que s'il y a une vérité une et universelle la liberté n'a pas de raison d'être » (*OC* II, p. 1097).

12. Guilloux avait publié *Compagnons* en 1931 chez Grasset ; *Caliban* le reprend en décembre 1949 (n° 34) avec une présentation de Maurice Nadeau, « Avez-vous lu Guilloux ? ». Dès janvier 1948 (n° 13), la revue publie *La Maison du peuple*.

30. — ALBERT CAMUS À LOUIS GUILLOUX[1]

8 octobre [1947]

Cher vieux,

Voici le texte dactylographié de la lettre Palante[2]. J'en garde un double.

Vaguement inquiet, j'attends de tes nouvelles — ou toi.

Affectueusement

Camus

1. Papier à en-tête de la NRF.
2. Nous avons les dix-neuf pages de cette dactylographie.

[31. — FRANCINE CAMUS
À LOUIS GUILLOUX]

Paris, le 15 novembre 1947

Cher Louis Guilloux,

Il m'arrive si rarement de prendre la plume que je ne sais plus très bien comment on la tient. Mais Camus est parti en Algérie pour une dizaine de jours et je ne veux pas remettre plus longtemps ce dont ma sœur[1] m'a chargée. Avez-vous envie de passer un mois à Sidi-Madani, à soixante kilomètres d'Alger, dans les conditions décrites dans les papiers ci-joints ? C'est-à-dire voyage en bateau et séjour offert.

Si oui vous n'avez qu'à m'envoyer votre réponse que je transmettrai à ma sœur, Christiane Faure, chargée par Aguesse de solliciter écrivains et artistes que cela intéresse. Aguesse est le directeur des services de jeunesse et d'éducation populaire en Algérie. Il a dit à ma sœur qu'il vous connaissait et qu'il serait très heureux que vous acceptiez.

Albert, ma sœur et moi avons tout de suite pensé à vous. Cela vous changerait un peu de Saint-Brieuc et vous donnerait l'occasion d'une retraite où vous pourriez travailler ou vous reposer à votre gré. Cela n'est-il pas bien ? Pour moi, j'envie beaucoup ceux qui y vont, mais hélas ne suis ni écrivain ni artiste, mais mère de famille de plus en plus submergée par les tâches urgentes, quotidiennes et monotones. Et vous ne venez même plus nous voir ? Et Madame Guillou [*sic*] ? ne devait-elle pas venir nous voir régulièrement ?

De toutes façons vous seriez gentil de répondre si vous acceptez et quelle date vous préféreriez — Je n'ose vous conseiller parce que le temps est capricieux en Algérie — J'ai connu des mois de janvier resplendissants, des février pluvieux, mais cela n'est peut-être pas la règle. Albert m'écrit qu'en ce moment il est réveillé à sept heures du matin par le soleil qui inonde sa chambre — Ce n'est pas le cas ici, ni sans doute à Saint-Brieuc.

Je serai contente que vous acceptiez et que cela vous fasse plaisir. Je pense qu'il serait difficile à votre femme de vous accompagner — Mais si cela est possible vous verrez que cela est prévu.

À bientôt de vos nouvelles — Croyez à mon amitié fidèle.

Francine Camus

Ne m'oubliez pas auprès de Madame Guillou et d'Yvonne.

1. Christiane Faure, sœur de Francine Camus, collabore au service des Mouvements de jeunesse et d'éducation populaire en Algérie, dirigé par Charles Aguesse ; celui-ci, disposant d'un hôtel à soixante kilomètres au sud d'Alger, près du village de Sidi-Madani, forme le projet d'inviter des écrivains de la Métropole à séjourner un mois dans ce « lieu de retraite favorable à leur travail et à leur pensée » ; mais le projet vise surtout à ce que « des contacts puissent être établis peut-être sous forme de week-end à Sidi-Madani entre nos hôtes, représentants de la Métropole, et les représentants les plus intéressants, en particulier dans les milieux musulmans, de la pensée algérienne » (Lettre d'invitation, citée par Jean Déjeux, « Les rencontres de Sidi-Madani [Algérie] [janvier-février-mars 1948] », *Revue de l'Occident*

musulman et de la Méditerranée, 1975, n° 20, p. 167). Séjourneront successivement à Sidi-Madani, entre décembre 1947 et mars 1948 : Calet, Ponge, Leiris, Lottman, Damboise, Morel, Guilloux, Parrot, Tortel, Parain, Cayrol, Dib, Zerrouki, Kouriba, Sénac, Camus, Minet (de nombreux autres écrivains, pressentis, avaient donné leur accord pour un séjour ultérieur). Jean Déjeux donne la liste impressionnante de tous ceux qui vinrent d'Algérie à telle ou telle des réunions organisées à Sidi-Madani en 1948 (art. cité, p. 169). Les écrivains résidant à Sidi-Madani donnèrent aussi des conférences et animèrent des débats dans divers endroits : Guilloux les 4 et 8 mars à Alger et le 23 à Oran ; Camus le 11 mars à Alger (J. Déjeux, art. cité, p. 170). Voir aussi Abdelkader Djemaï, « Louis Guilloux en Algérie », *Louis Guilloux écrivain*, Francine Dugast-Portes et Marc Gontard (dir.), Presses universitaires de Rennes, 2000 (« Interférences »), p. 47-50 ; voir également le témoignage de Jean-Claude Xuereb, « Albert Camus et les rencontres de Sidi-Madani », *Bulletin de la Société des études camusiennes*, n° 57, janvier 2001, p. 3-5. Malheureusement, Charles Aguesse n'eut pas, en 1949, l'autorisation de renouveler l'expérience qui, pourtant, avait été plébiscitée par les participants en raison des liens d'estime et d'amitié qu'elle avait permis de nouer.

[32. — LOUIS GUILLOUX À FRANCINE CAMUS]

18 décembre 1947
13, rue Lavoisier
Saint-Brieuc

Chère Francine Camus,

Votre lettre m'est arrivée avec tout le retard qu'on pouvait attendre de la situation, et j'ai ajouté moi-même un peu de retard à vous y répondre par toutes sortes de raisons de traînasserie etc., qui sont hélas beaucoup dans ma manière depuis quelque temps. Ce que c'est que d'habiter les départements ! Vous pensez bien que je suis tout à fait d'accord et parfaitement heureux d'accepter. Vous ne pouvez même pas savoir à quel point. Ai-je besoin de vous dire que je suis très touché d'une si bonne pensée de votre part, de celle d'Albert et de votre sœur pour moi — Sans parler d'Aguesse, que j'ai en effet vu autrefois ici, à Saint-Brieuc[1], et qui m'a laissé le souvenir d'un homme fin, délicat et discret. J'aurai beaucoup de plaisir à le revoir.

Dois-je lui écrire ? Que faut-il que je fasse ? Je m'en remets à vous en vous suppliant de me pardonner mon retard et de me donner bien vite des nouvelles — Le meilleur moment pour moi serait à cheval sur janvier et février — Dites-moi ce que je dois faire. En tous cas c'est entendu, j'y compte, j'y pense et j'en rêve. C'est qu'il ne s'agit pas uniquement pour moi d'un séjour agréable, mais de sortir une bonne fois de la nuit. Albert est-il rentré ? Viendrait-il là-bas ?

Si Renée n'est pas allée vous voir, c'est qu'elle n'est pas retournée à Paris depuis cette visite qu'elle a faite chez vous. Il est probable qu'elle y retournera bientôt et elle ne manquera pas d'aller vous voir — Merci pour les amitiés que vous lui faites et à Yvonne. Vous savez que vous avez les miennes, sans discussion, bien entières — À bientôt. Que vous avez bien fait de m'écrire, et de me proposer cette fuite ! J'attends — À vous et à Albert, de tout cœur, et aux enfants. À bientôt

Louis Guilloux

---

1. Charles Aguesse a été professeur au collège Anatole Le Braz de Saint-Brieuc où Guilloux a fait ses études.

10 janvier 1948

Mon cher Albert,

Ai-je besoin de te dire tout le bonheur que c'est pour moi d'aller en Algérie, surtout si tu y viens aussi comme ta belle-sœur me le laisse espérer. Dis-moi bien vite que c'est plus qu'un espoir, que je peux y compter[1]. Ce serait un grand moment. Dis ? Et puis, si d'Alger, on trouvait le moyen, je ne sais pas lequel, de s'esbigner en douce jusqu'à Alexandrie, voir Jean ! Tu te rends compte ? Je me sens les pieds très légers — mais si c'était avec toi, alors ce serait parfait — Réponse méditée là-dessus — Fais l'impossible pour que ce soit possible — Je devais prendre le bateau le 21 à Marseille, mais il y a cette affaire suisse, le prix Veillon[2], et je dois d'abord aller à Lausanne vers le 7 et 8 février — Je pense que le départ pour Alger pourrait avoir lieu avant le 15 février[3] — La Suisse sera sans doute assez brève — J'ai hâte de te voir, et de régler tout cela. Je travaille beaucoup à mettre en ordre le manuscrit du *Jeu de patience*, pour qu'il soit prêt avant mon départ. Je l'amènerai avec moi à Paris, sans doute au début de février.

Merci pour *Caliban*. Je suis très heureux que ce soit toi qui fasses la présentation[4]. J'attends avec impatience. Ne pourrait-on me faire envoyer ce journal ?

À bientôt. Renée[5] ne va pas tout de suite à Paris mais je crois, vers le 20. D'ici là, on s'écrira.

Je te dis encore une fois tout l'espoir que j'ai de voir la chose tourner au bonheur d'un voyage avec toi — Je t'embrasse, vieux frère — et fais beaucoup d'amitiés à Francine, aux enfants — *Nunc et semper*

Louis Guilloux

1. Guilloux note dans ses *Carnets* : « Aujourd'hui, journée médiocre, quoique fort heureusement commencée par une lettre de Camus. Espoir de le retrouver en Algérie » (*op. cit.*, p. 68).

2. Créé en 1947 par le mécène suisse Charles Veillon (1900-1971), le prix Charles Veillon du roman de langue française vise à soutenir la jeune création littéraire, « véhicule de la pensée », dans une perspective d'ouverture et « d'entente entre les nations au profit de la collectivité ». Au jury, présidé par André Chamson, Louis Guilloux figure aux côtés, par exemple, de Louis Martin-Chauffier et de Vercors.

3. Guilloux restera en Algérie du 18 février au 24 mars. Sur ce séjour, Djemaï (art. cité) donne des détails amusants, communiqués par Aguesse (comme celui de la vieille femme qui se plaint de la panne de sa machine à coudre ; comme c'est la même que celle de sa mère, Guilloux tente en vain de la réparer) ; mais il faut lire surtout les impressions notées au fur et à mesure par Guilloux dans ses *Carnets* (*op. cit.*, p. 70-81).

4. Dans le numéro 13 de *Caliban* (janvier 1948), *La Maison du peuple* est précédé d'un texte intitulé « Albert Camus vous parle de Louis Guilloux », texte qui sera repris comme préface à la réédition du livre de Guilloux en 1953. Il est republié en février 1948, sous le titre « Présentation de Louis Guilloux », dans le numéro 16 de *L'Arc* (journal des Anciens Résistants des Côtes-du-Nord), avec un portrait de Guilloux par Maurice Adrey.

5. Renée Guilloux, l'épouse de Louis.

34. — ALBERT CAMUS À LOUIS GUILLOUX[1]

26 janvier [1948]

Cher Guilloux (Louis)
Un mot :
Je suis à Leysin, près de Michel G[allimard][2], à une heure et demie de Lausanne, où tu dois

te rendre. Je pars le 7 février. Si tu arrives le 3, tu as grandement le temps de venir manger du chocolat avec nous. Ensuite je te rejoindrai en Algérie vers le 22[3].

J'ai écrit à Gaston, question mensualités. Mais j'ai surtout envie de te voir, après tout ce silence entre nous. Si Renée va à Paris, elle peut demander la clé de mon appartement au concierge, en lui montrant cette lettre. Dans ce cas, il faudrait faire faire (voir concierge) le remplissage des radiateurs et des feux — Les draps sont dans l'armoire de la chambre. La clé de l'armoire dans les petits tiroirs près du lit. On allume le ballon d'eau chaude le soir (la manette est dans le placard à balais dans la cuisine, il suffit de la relever). On l'éteint le matin (abaisser la manette). Et on a un bain brûlant. Ouf !

Viens, cours, vole qu'on t'embrasse[4].

A. C.

1. Papier à en-tête de la NRF.

2. Camus a rejoint Michel Gallimard, qui soigne sa tuberculose au sanatorium de Leysin en Suisse.

3. En fait Camus n'arrivera à Sidi-Madani que le 2 mars, et il y restera jusqu'au 13, alors que Guilloux y séjourne du 18 février au 17 mars. Camus raconte deux fois à Grenier un épisode de cette rencontre avec Guilloux en Algérie ; le 9 mars : « Puis je suis venu à Sidi-Madani (d'où je vous écris) pour retrouver Guilloux. Celui-ci a été invité en effet à un petit séjour dans un hôtel des gorges de la Chiffa, avec quelques autres artistes. Nous y sommes depuis quelques jours et la vie y est douce. Mais G[uilloux] aspire, il me semble, à revoir les brumes briochines. Hier, nous l'avons emmené à Tipasa, par une journée resplendissante. Mais il y avait, selon lui, un excès de beauté. (Il était plus content, je crois, de déjeuner chez moi, à Belcourt.) C'était vrai d'une certaine manière, bien que cet excès me fût personnellement léger à porter. Que ce pays est beau ! » (A. Camus et J. Grenier,

Correspondance, *op. cit.*, p. 143), et le 21 avril : « G[uilloux] était content, paraît-il, d'avoir *terminé* son voyage en Algérie. C'était le premier qu'il n'interrompait pas brusquement pour rentrer chez lui. Tous les Bretons sont-ils ainsi ? Ah ! Je ne vous ai pas dit : Je présente Tipasa à G[uilloux] par une matinée admirable, un ciel pur de février, des torrents de lumière, la beauté la plus somptueuse. "Hein ?" dis-je, de l'air du propriétaire. "Oui oui, dit Guilloux, mais s'il y avait un ou deux petits nuages…" » (p. 146-147). Voir aussi les deux réponses de Grenier (qui est à ce moment-là en poste à Alexandrie) à Camus ; le 7 avril : « Vraiment je suis heureux et je regrette à la fois que Guilloux et vous ayez été à Alger et que je ne m'y sois pas trouvé » (p. 144). Rappelons que, l'année précédente, Camus n'avait pas été enthousiasmé par la Bretagne — qu'il découvrait alors (voir J. Grenier, *Albert Camus. Souvenirs*, *op. cit.*, p. 99).

4. Démarquage plaisant du vers du *Cid* : « Va, cours, vole et nous venge ! », dit Don Diègue à son fils (I, 5, v. 290).

35. — LOUIS GUILLOUX À ALBERT CAMUS

12 mai 1948

Mon cher Albert,

Je suis bien coupable de ne t'avoir pas écrit depuis que je suis rentré ici. Mais j'ai d'abord commencé par le sommeil, après un grand voyage et, ensuite, je me suis remis au travail. La grande interruption causée par le voyage, pendant lequel je n'avais pour ainsi dire pas songé à mon roman, m'a été extrêmement profitable. Certaines difficultés dont je ne voyais pas comment sortir se sont presque résolues d'elles-mêmes quand je me suis remis à travailler. Bref, j'ai traversé une assez bonne période de boulot (touchons du bois) et pendant ce temps-là je n'ai pas écrit de lettres[1] — quoique « bourrelé » » de remords — le roman va donc être bientôt fini, et montrable, de même que la traduction de Forester[2] dont nous parlions avec Michel. Est-il toujours à Leysin ?

Je compte aller à Paris vers la fin de ce mois ou au commencement de l'autre. Y seras-tu ? Envoie-moi un mot pour me le dire.

Comment va le travail ? Les répétitions de *La Peste* (titre ?[3]) l'essai sur la révolte[4] ? La pièce sur Kaliayev[5] ?

Figure-toi que je me sens devenir *bon*. Je découvre que j'aime vraiment les hommes et je voudrais faire quelque chose pour eux. C'est comme une espèce de sentiment religieux, si on veut — Besoin de se donner à *une* chose *choisie*. Mais j'ai peu de moyens et je ne sais pas grand-chose. N'importe. Et je n'ai pas non plus beaucoup de discipline.

Je t'ai peu parlé de ton papier sur moi dans *Caliban*[6], mais je tiens à te dire ici que les choses que tu as dites là ont pour moi une importance énorme et m'aident beaucoup. Je t'embrasse vieux frère.

À bientôt. J'embrasse bien affectueusement Francine. Ne m'oublie pas, quand tu écriras en Algérie, auprès de ta mère[7] et de Madame Agaut [*sic*][8]. De tout cœur

Louis Guilloux

1. Jean Grenier, d'ailleurs, s'en plaint à Camus : « Naturel- lement Guilloux ne m'écrit pas. J'ai été très heureux de savoir qu'il avait *vu* un pays où j'ai tant vécu et que j'ai aimé » (Lettre du 6 mai 1948, *op. cit.*, p. 147).

2. Avec d'autres traducteurs, Guilloux traduit une partie de la saga maritime du romancier anglais Cecil Scott Forester (1899-1966) ; cette saga, centrée sur le personnage du capitaine Horatio Hornblower, a été publiée en anglais entre 1937 et 1967 ; la traduction française complète a paru en 1995 aux Éditions Omnibus.

3. Il s'agit de *L'État de siège*, dont Camus ne cesse d'affirmer qu'il ne s'agit nullement d'une adaptation de son roman, même si La Peste est l'un des protagonistes. La pièce sera créée au théâtre Marigny le 27 octobre 1948. Guilloux, présent à Paris, notera le 4 octobre dans ses *Carnets* : « On répète *L'État de siège*. Camus était en pleine euphorie » (*op. cit.*, p. 85).

4. *L'Homme révolté* sera publié en 1951.

5. Ivan Kaliayev (1877-1905) est un anarchiste russe qui a assassiné le grand-duc Serge de Russie en 1905. Camus en fait le protagoniste de sa pièce *Les Justes* qui sera créée le 15 décembre 1949.

6. Voir lettre du 10 janvier 1948. Le texte de Camus et *La Maison du peuple* de Guilloux ont été publiés en janvier 1948 dans le numéro 13 de *Caliban*.

7. Lors de son séjour en Algérie, en février-mars 1948, Guilloux a été invité à déjeuner chez la mère de Camus. Dans un texte écrit après la mort de Camus, il évoquera sa visite rue de Lyon : « Plus tard, je suis avec lui, à Belcourt, dans sa famille, et j'ai connu sa mère, une si charmante vieille dame, une grande dame » (voir Annexes).

8. À Alger, Guilloux avait également déjeuné avec la tante de celui-ci, Mme Acault, celle-là même qui avait accueilli le jeune Camus chez elle à Alger lors de sa première attaque de tuberculose en 1930.

36. — ALBERT CAMUS À LOUIS GUILLOUX[1]

28 mai [1948]

Vieux frère

Bien coupable aussi de n'avoir pas écrit. Mais je suis devenu aphone (quant à la voix du cœur). On me dit cependant que tu vas venir. Atterris à la maison où je suis célibataire (Francine à Oran[2]). Sinon, dis-le-moi. Et j'écrirai une vraie lettre. Amène le roman[3] aussi. Moi j'ai travaillé, mais en somnambule. Le cœur sec, quoi !

Je vous embrasse tous les trois

A. C.

La bonté ? Oui, on voudrait bien. Et puis crac, on est distrait. Il faut tout recommencer.

1. Papier à en-tête de la NRF.
2. Oran est le berceau de la famille Faure ; Francine y fait de fréquents séjours, le plus souvent avec ses enfants.
3. Il s'agit toujours du *Jeu de patience*.

37. — ALBERT CAMUS À LOUIS GUILLOUX[1]

12 novembre 1948

QUITTE PARIS LUNDI POUR UNE SEMAINE PEUX TU RETARDER ARRIVÉE ATTENDS SUITE LETTRE AFFEC-TUEUSEMENT CAMUS

1. Télégramme envoyé de Paris à Saint-Brieuc.

38. — ALBERT CAMUS À LOUIS GUILLOUX[1]

17 mars [1949]

Mon vieux Louis,

Un mot pour te presser, hélas, et me faire maudire. Il faudrait que *La Patience* coure sa chance pour un prix et cela va être juste[2]. Comme je te plains et comme je me trouve bête de t'écrire cela. Mais je voudrais te voir libéré des incertitudes matérielles — autant que possible.

Autre chose. Lehmann dit que tu ne devrais pas traiter ta leucoplastie [*sic*] de la langue[3] à la neige carbonique, mais voir un spécialiste. Ne sois pas paresseux, et fais-le.

J'ai transmis ton *Pain des rêves*[4], qui fut bien accueilli, comme tu le désirais. L'émission aura lieu en avril, je crois. J'essaierai de te prévenir. Et puis viens à Paris, non ? Ce sera le plus simple.

Ma bénédiction à la maison Lavoisier[5]. Et pour toi, l'affection de ton vieux frère

Albert Camus

J'ai fini la première version de *La Corde*[6]. Cinq actes. Et russe en diable... Naturellement, je ne sais pas ce que ça vaut.

---

1. Papier à en-tête de la NRF.
2. *Le Jeu de patience* est publié en octobre 1949 et obtient le prix Renaudot. À sa sortie, le livre porte un bandeau avec un extrait de la présentation de Guilloux par Camus dans *Caliban* (janvier 1948) : « Nous sommes avec Guilloux au cœur de ces terres inconnues que les grands romanciers russes ont tenté d'explorer. »
3. La leucoplasie est une affection de la muqueuse buccale.
4. *Le Pain des rêves* avait été publié en 1942. Camus l'a sans doute transmis pour une lecture à la radio. Nous n'avons pas trouvé trace de cette émission. Yves Jaigu, qui fut directeur de France-Culture (rencontré le 22 février 2012), témoigne de l'abondance des émissions radiophoniques — entretiens ou lectures — consacrées à Guilloux dans l'immédiat après-guerre ; c'était, pour ses amis qui s'entremettaient à cette fin, une manière de faire connaître une œuvre qu'ils admiraient, tout en procurant à Guilloux des rentrées financières.
5. Les Guilloux vivent rue Lavoisier à Saint-Brieuc.
6. C'est un des titres auxquels Camus avait d'abord pensé pour *Les Justes*.

Saint-Brieuc (les choux)
2 mai 1949

Albert,

J'ai envoyé samedi dernier à Festy[1] la fin de mon ours — Je compte donc aller à Paris prochainement, mais je voudrais bien que tu me dises d'un mot rapide quand nous pourrons le mieux nous voir. Cette semaine, est-ce possible ? Je me guiderai sur ce que tu m'écriras. J'ai fort envie de te voir et beaucoup de choses à te dire.

Je t'embrasse de tout cœur, Albert, j'embrasse Francine *y los niños*[2].

À bientôt.

Ton vieux

Louis

1. Jacques Festy est directeur de fabrication chez Gallimard.
2. « et les enfants » ; Guilloux parle l'espagnol ; il l'a appris au contact des réfugiés qui, ayant fui l'Espagne franquiste, se sont retrouvés à Saint-Brieuc à partir de 1935 et dont il s'est occupé activement avec le Secours rouge (voir *Le Jeu de patience*).

11 mai [1949][1]

Mon vieux Louis,

Je serai à Paris jusqu'à la fin du mois. Accours. Un mot deux jours avant et je me réserverai tout le temps possible. Je piétine au milieu de la confusion, travaillant une fois de plus contre la montre, et le reste. Tout ce que je fais est contre, contre quelqu'un, contre quelque chose ou contre moi-même. Mon bon maître vient de trouver une formule qui m'a fait rêver : « Je n'ai jamais pu faire coïncider ce que je croyais être la vérité avec ce qui m'aidait à vivre[2]. » Qu'en dis-tu ? Peut-on aller plus loin ?

Viens. Nous bavarderons et nous parlerons de *La Patience*[3]. Il en faut !

Je t'embrasse — ainsi que Renée et la prestigieuse Yvonne

A. C.

---

1. Date probable, en fonction du contexte, en particulier celui de la publication prochaine du *Jeu de patience*. La phrase de Jean Grenier (son « bon maître ») que cite Camus, sera reprise en 1955 dans *Lexique*.
2. Jean Grenier, « VÉRITÉ », *Lexique*, Gallimard, 1955 (« Métamorphoses »), p. 77.
3. Le roman de Guilloux, *Le Jeu de patience*, paraît en octobre 1949 et obtient en décembre le prix Renaudot.

41. — ALBERT CAMUS À LOUIS GUILLOUX[1]

[23 mai 1949]

QUITTE PARIS JEUDI JUSQU'À DÉBUT JUIN T'ESPÉRAIS SEMAINE PASSÉE PEUX-TU RETARDER AFFECTUEUSEMENT ALBERT

---

1. Télégramme envoyé de Paris à Saint-Brieuc.

12 novembre 1949

Mon cher Albert,

La nommée Georgette Henry[2], de passage à Saint-Brieuc, me dit avoir vu la biche[3], qui lui aurait donné des nouvelles médiocres de ta santé[4]. — Que se passe-t-il au juste ? Je serais heureux d'avoir un mot de toi, ne pensant pas aller à Paris tout de suite. Je suis en effet retenu ici par l'état de ma mère, de plus en plus mauvais. — Voilà. C'est tout ce que j'ai à te dire pour le moment. Aussi, pourtant, que je voudrais bien savoir ce que tu penses de mon livre, et si Bloch-Michel est rentré, et s'il pense toujours à ce qu'il m'avait dit le soir où nous dînions ensemble[5]. — Excuses. Ça fait un méli-mélo, mais...

Donne-moi de bonnes nouvelles de toi, Albert.

Je t'embrasse

Louis

1. Lettre sur papier à en-tête de la NRF Librairie Gallimard.
2. Georgette Henry va publier en 1950, dans la collection « Espoir » que Camus dirige chez Gallimard, un récit, *Permis de séjour*.
3. C'est le surnom donné à Suzanne Agnely, née Labiche, secrétaire de Camus chez Gallimard
4. Camus confirme, en réponse, une rechute grave (voir lettre suivante).
5. Jean Bloch-Michel (1913-1987) est un ami proche de Camus depuis leur engagement dans *Combat* en 1945. Ils sont compagnons de lutte sur plusieurs fronts ; en 1957, Bloch-Michel écrira une introduction et une étude, « La peine de mort en France », pour encadrer les textes de Camus et de Koestler dans *Réflexions sur la peine capitale*. Polyglotte, il collabore régulièrement au *Courrier de l'UNESCO*. Il a sans doute proposé à Louis Guilloux de sonder la possibilité pour lui d'un poste à l'UNESCO ; voir la réponse de Camus dans la lettre suivante.

Paris, le 17 novembre 1949

Mon cher Louis,

Je dicte cette lettre parce que c'est beaucoup plus simple. Je suis en effet au lit, et probablement pour longtemps. Ce que je couvais, et dont tu as été témoin, était un réveil de ma vieille maladie[2]. Le verdict comporte, pour le moment, cinq semaines de lit, à la streptomycine[3] et compagnie, puis quelques mois de montagne. Je mentirai en disant que je n'ai pas l'esprit un peu préoccupé par cette histoire.

C'est pourquoi je ne t'ai pas écrit sur ton livre[4] que j'ai terminé depuis longtemps et que je trouve beau et émouvant (c'est une manière idiote de dire les choses, mais la maladie, ça simplifie). Les seuls reproches que je lui fais, sont, de loin en loin, des empâtements de la composition. Mais cela était fatal dans cette entreprise. Finalement, tu as créé un véritable univers, justification de l'artiste. Il faudrait parler du fond aussi, mais ça nous mènerait loin. J'aime l'idée qu'il y aurait un recours dans la douceur, mais je n'y crois pas, et toi non plus, c'est évident. C'est pourquoi on est touché par le fait que tu le dises quand même.

J'ai fait téléphoner à Bloch-Michel cette semaine pour lui demander des nouvelles de son petit projet.

À bientôt, je l'espère du moins. Tu seras obligé de venir pour le Grand Prix de Trot[5], pour cracher dans le micro et te faire fusiller au magnésium. C'est à ce moment-là qu'il te faudra beaucoup de douceur. Adieu, mon Guilloux, je t'embrasse comme toujours,

Albert Camus[6]
Albert Camus

Vu[7] Bloch-Michel :
Pas de place fixe à l'UNESCO.
Mais possibilité de travaux sur commande, *très bien payés.*
Il faudrait seulement que tu viennes à Paris.

---

1. Lettre dactylographiée sur papier à en-tête de la NRF Librairie Gallimard.

2. Pendant son voyage en Amérique du Sud, en juillet et août, Camus a cru qu'il multipliait les mauvaises grippes ; à son retour, le diagnostic est beaucoup plus sévère. À René Char, Camus écrit, le 7 novembre 1949 : « Une rechute de ma vieille maladie. Six semaines à l'horizontale et puis ce seront des mois de montagne. Le retranchement est difficile. J'ai passé l'âge du rêve. Et puis mon effort constant a été de repousser la solitude, la différence, l'intime. Je voulais être *avec.* Mais il y a une destinée, c'est là ma seule croyance. Et pour moi, elle est dans cette lutte où rien n'est facile » (Albert Camus et René Char, *Correspondance 1946-1959*, édition de Franck Planeille, Gallimard, 2007, p. 49).

3. Découverte en 1943, la streptomycine est un antibiotique puissant, le premier à être utilisé contre la tuberculose.

4. *Le Jeu de patience* a été publié en octobre 1949 chez Gallimard.

5. Camus plaisante sur les festivités auxquelles donnera lieu l'obtention du prix Renaudot par Guilloux. Ces festivités auront lieu en février 1950. Le 13 février, Camus écrit à Jean Grenier : « Guilloux, couronné par Théophraste Renaudot, nage dans la joie et les succès. J'en suis heureux, bien heureux pour lui qui méritait vraiment d'être "reconnu". (On dit même qu'il a acheté des souliers à triple semelle et un pardessus businessman.) Il est vrai aussi qu'il a six ou sept millions de droits d'auteur. La pluie d'or, quoi ! Il faisait plaisir à voir quand j'étais encore à Paris. Nous le blaguions un peu, mais tout le monde était ravi » (Albert Camus et Jean Grenier, *Correspondance, op. cit.*, p. 168).

6. Ajout manuscrit

7. Ajout manuscrit jusqu'à la fin de la lettre.

Dimanche [27 novembre 1949]

Mon cher Albert,
J'ai trouvé le pire[1], en rentrant hier soir. Je t'en fais part, douloureusement. À bientôt.

Louis

1. La mère de Louis Guilloux, Philomène Guilloux, née Marmier, est morte le 26 novembre 1949.

45. — ALBERT CAMUS À LOUIS GUILLOUX[1]

Mardi [29 novembre 1949]

Mon cher Louis,
Je suis bien triste de ce que tu m'apprends. Tu t'y attendais mais on ne s'habitue pas à la disparition. Je pense beaucoup à toi depuis dimanche. J'ai de l'imagination, j'aime aussi ma vieille maman. Que te dire de plus sinon que je suis près de toi, avec toute l'affection dont je suis capable.
Je t'embrasse, bien tristement

Albert Camus

1. Lettre sur papier à en-tête de la NRF.

46. — ALBERT CAMUS À LOUIS GUILLOUX[1]

29 rue Madame,
Paris, VIe

5 mai 1951

Cher Guilloux (Louis)
Une charmante dame me demande de te transmettre cette lettre. Tu l'as connue chez moi.
Fais signe.
Affectueusement,

A. C.

1. Lettre dactylographiée ; ajouts manuscrits du prénom « Louis » et des initiales de signature.

47. — LOUIS GUILLOUX À ALBERT CAMUS

2 décembre 1951

Mon cher Albert,
Je crève de confusion, et ne sais comment t'expliquer ce qui est arrivé. Je n'ai ouvert que trop tard hélas, une certaine lettre considérée par moi comme un prospectus, venant de la maison Hachette et suivie de deux numéros de la Biblio, ce qui m'a confirmé dans ma première impression. J'ai vaguement cru qu'il s'agissait d'un prospectus publicitaire, lequel me demandait de m'abonner, ou quelque chose de ce genre-là, et j'ai laissé tomber d'autant plus facilement qu'étant

dans une bonne période de travail, je suis distrait
à l'égard de certaines choses. Et c'était pour me
demander un papier sur toi. Je ne puis rien ajouter sinon que je crève de remords, et que je te prie,
si cela peut se réparer, de me le dire. Jamais je
n'ai été si enragé — Écris-moi — J'ai le livre[1], j'y
suis — Pourquoi ne m'ont-ils pas téléphoné 16.83.
Je suis un vieux con.

Louis

Et j'ai égaré mon carnet d'adresses si bien que
je n'ai pas ton numéro rue Madame et qu'il faut
que je t'envoie ce mot par Gaston.

Dis-moi que tu me pardonnes ma bêtise — Tous
ces temps-ci, je n'en fais pas d'autres.

1. Il s'agit de *L'Homme révolté*, paru en octobre 1951 ; la polémique avec *Les Temps modernes* n'est pas encore déclenchée fin
1951. On s'est étonné du « silence » de Guilloux pendant cette
polémique ; il est peut-être dû pour une part à ce quiproquo.

48. — LOUIS GUILLOUX À ALBERT CAMUS

5 décembre 1951

Mon cher Albert

Tu peux bien penser que ta lettre[1] m'a donné
une grande joie ; nous ne parlerons plus de cette
sotte affaire en effet signée Nimbus sauf pour te
dire qu'il me reste l'embarras d'avoir à écrire au
directeur de cette Biblio, ce que je ne sais comment faire — mais je le ferai tout de même.

Oui : je travaille ; c'est un roman, bien entendu, je ne sais pas très bien où cela va me mener, j'écris ce roman comme j'écrirais un feuilleton[2] : tout bien réfléchi c'est la meilleure pratique. J'en ai abattu pas mal depuis quelque temps, mais je ne sais quand j'aurai fini. Ensuite, il faudra tout revoir. Je suis toujours furieux d'habiter ce pays plus que morose et plus qu'inerte, plus que désert, cela hâte ma fin, je parle très sérieusement et je donnerais la lune pour un grenier à Paris. L'idée de passer l'hiver ici m'épouvante. Mais trêve de jérémiades. Je vais publier, enfin, mes lettres à notre bon maître sous le titre *Absent de Paris*[3] — Ne crois pas que je veuille publier, aussi, la photo de lui que je t'envoie. Mais j'ai fait faire cet agrandissement de la première photo de lui qu'il m'ait donnée en 1917 ou 1918 (cette photo date au plus tard par conséquent de ses dix-neuf ou vingt ans) pour la lui envoyer avec le manuscrit. J'ai pensé te faire plaisir en en faisant tirer une épreuve pour toi[4].

Dès que je pourrai aller à Paris je t'en avertirai bien sûr. J'espère que ce ne sera pas dans cent ans. Je suis dans ton livre, mais à petits pas, en raison de ma mobilisation sur le mien. Je vais tout reprendre du commencement, dans quelques jours. Donne des nouvelles de ta santé, et de ta famille. Je t'embrasse très affectueusement

Louis

1. On n'a pas retrouvé cette lettre ; on a seulement une enveloppe à en-tête NRF, oblitérée le 4 décembre 1951, avec l'adresse de Guilloux de la main de Camus.
2. Guilloux travaille à *Parpagnacco*, qui paraîtra en 1954.

3. *Absent de Paris* paraît chez Gallimard en 1952.

4. Le même jour, Guilloux envoie à Grenier cette même photo, « la toute première photo que tu m'aies donnée de toi, vers 1918 sans doute. J'ai beaucoup de plaisir à te l'envoyer et je t'embrasse très tendrement » et il ajoute : « Sachant l'amitié de Camus pour toi, et voyant qu'il t'a dédié son livre, j'ai fait faire pour lui une deuxième épreuve de cette même photo que je lui envoie, pensant que tu es d'accord d'avance » [LGC 8.3.14].

49. — LOUIS GUILLOUX À ALBERT CAMUS

20 décembre 1951

Mon Albert,

Je suis jusqu'au cou dans ton livre, avec une profonde émotion. Tout me touche, m'instruit, et souvent, me bouleverse. Je te suis très reconnaissant. Beaucoup de choses dans ce que je lis m'éclairent et entraînent pour moi des changements.

Je n'ai pas fini ; j'attends beaucoup de ce livre et je t'en écrirai plus au long, après ; j'avais peur de m'y mettre à cause de mon roman ; mais loin de là, ton livre m'aide et modifie mes propres perspectives dans ce que je crois être le meilleur[1]. À bientôt — Je t'embrasse de tout mon cœur

Louis

1. Guilloux travaille à un grand roman qu'il a intitulé « Les Idiots » puis « La Délivrance ». Le 2 octobre 1951, il notait dans ses *Carnets* : « Ce livre exprimera de ma part un changement complet. [...] J'y veux consacrer toutes mes forces, et que ce soit, enfin, un livre que je puisse, moi, aimer sans réticences. Oui : il y a une délivrance de l'autre, aussi, je le sais. Je suis dans un

moment de grand espoir. L'homme *sortira* de prison » (*Carnets,*
op. cit., p. 154). Le 1er décembre, il note qu'il a « écrit 265 pages,
bonnes ou mauvaises, de *La Délivrance* » (p. 158). On devine tout
ce que ce livre d'espoir, dans lequel Guilloux est effectivement
plongé, peut recevoir de *L'Homme révolté* ; surtout si on éclaire
son titre par une phrase de Jean Grenier que Guilloux cite dans
Absent de Paris : « Nous sommes tous prisonniers et nous ne
rêvons que de liberté quand c'est la délivrance qu'il nous faut »
(Gallimard, 1952, p. 12). Pourtant, il ne terminera pas « La Délivrance », et en tirera seulement *Labyrinthe* qui paraîtra en quatre
livraisons dans la revue *La Table ronde* d'octobre 1952 à janvier 1953 (voir Sophie Milquet, « *Labyrinthe* de Louis Guilloux :
une possibilité de *Délivrance* ? », *L'Atelier de Louis Guilloux*, sous
la direction de Madeleine Frédéric et Michèle Touret, Presses
universitaires de Rennes, 2012 (« Interférences »), p. 165-180).

50. — LOUIS GUILLOUX À ALBERT CAMUS

Lundi 9 [juin 1952]

Mon Albert, j'ai téléphoné tant que j'ai pu hier
et même avant-hier, et encore ce matin, mais je ne
t'ai point trouvé et tout à l'heure la biche[1] vient de
me dire que tu n'es pas à Paris — Faut-il dire que
je le regrette, j'aurais tant voulu te voir — Je pars
pour la Bretagne à l'instant, je ne sais combien de
temps j'y resterai ; si tu m'écris un tout petit mot,
il sera le bienvenu. Tâchons de nous voir sans trop
tarder, s'il plaît à Dieu ! — Je m'arrête, j'aurais à
te dire de bien longues choses, ce n'est pas l'instant. L'amie qui dînait avec nous l'autre soir[2] était
bien heureuse de la rencontre. Elle a laissé dans
ta voiture deux Kafka que je lui avais donnés mais
ne te soucie pas je les lui fais envoyer de nouveau
— Adieu, mon Albert — Peut-être t'écrirai-je de
nouveau une fois rentré en Bretagne. Hier, j'ai vu
notre bon maître[3]. Il paraissait souriant et parlait

de venir me voir à Saint-Brieuc mais je doute qu'il le fasse. Donne-moi quelques nouvelles et au revoir. Au revoir je t'embrasse de tout mon cœur

Louis

1. Voir note 3, lettre du 12 novembre 1949.
2. Liliana Magrini a séjourné à Paris en mai ; elle et Guilloux ont dîné chez les Camus ; elle a également vu Camus pour parler avec lui du roman qu'elle est en train d'écrire et dont il a lu un premier manuscrit ; Camus lui a donné de nombreux conseils, dont elle parle abondamment dans sa correspondance avec Guilloux. Son roman sera publié en 1953 chez Gallimard sous le titre *La Vestale* (voir notre Chronologie).
3. Jean Grenier.

51. — ALBERT CAMUS À LOUIS GUILLOUX[1]

9 août 1952

Mon vieux Louis,

Pour ce qui est d'écrire, tu fais penser au Sahara. Alors ce mot, au moins, pour te dire que je pense bien à toi, et que je n'étais pas content de te laisser dans ce Paris surchauffé. Mais vraiment ici[2] avec les deux belles-mères à partir du 15, la famille directe et la belle-sœur avec son mari, je n'aurais pas pu te caser et du reste tu te serais fatigué. Moi, je résiste, mais c'est tout juste, et l'inertie m'y aide.

À part ça, malgré ce pays, beau, en somme, et le donjon où je règne[3], je suis dans le noir total[4]. *Pas une ligne* depuis mon arrivée et pas une seule envie d'écrire. Je ne sais pas comment me tirer du trou où je suis. Si, la fuite, la fuite ! On m'offre un voyage au Golfe Persique, sur pétrolier. Un mois de mer. Je suis plus que tenté[5].

Que deviens-tu, frère ? As-tu revu les monstres doux ? Et le roman[6] ? Écris pour toi d'abord, à tes frères de chaîne ensuite. Dis tes projets et si tu seras à Paris en septembre. On t'embrasse

A.

... « C'est le moindre de savoir souffrir : les femmes et les esclaves y arrivent à la maîtrise. Mais ne pas périr de misère intérieure et d'incertitude lorsqu'on provoque la grande douleur et que l'on entend le cri de cette douleur, cela est grand, cela fait partie de la grandeur » Nietzsche[7], bien sûr...

1. Papier à en-tête de la NRF.
2. Camus est en vacances au Panelier avec sa famille (au sens élargi puisque sont présentes sa mère ainsi que la mère de Francine, sa sœur et son beau-frère).
3. Quelques années auparavant, Camus décrivait ainsi le séjour au Panelier : « Enfin bref, nous sommes dans le donjon, tel Chateaubriand à Combourg — mais pas seul. Au rez-de-chaussée, les jumeaux. Au premier, Madame et Monsieur. Au second, Monsieur. C'est tout en haut du donjon en effet que je me livre au désordre de l'inspiration » (lettre à Janine et Michel Gallimard, le 22 juin 1947, citée par Olivier Todd, *op. cit.*, p. 439).
4. Camus est au cœur de la tourmente déclenchée par *L'Homme révolté* : l'article de Jeanson a paru dans *Les Temps modernes* en mai ; la lettre de Camus à Sartre, en réponse à cet article, et la réponse de Sartre à Camus sont publiées ensemble dans le numéro d'août ; d'autres revues ou journaux ne sont pas en reste.
5. Le 16 août, Camus fait également part à René Char de cette éventualité (A. Camus et R. Char, *Correspondance, op. cit.*, p. 99).
6. Il s'agit toujours de « La Délivrance » ; voir lettre 49.
7. Camus cite ici l'aphorisme 325 du cinquième livre du *Gai*

Savoir de Nietzsche. Celui-ci a toujours été l'objet d'une grande admiration de la part de Camus — même si, après la guerre, cette admiration s'est teintée de sérieuses réserves nées de la méditation qui a conduit à *L'Homme révolté*.

52. — LOUIS GUILLOUX À ALBERT CAMUS

18 août 1952

Mon Albert

Excuse-moi : je suis incorrigible, et si ce n'était qu'en matière de correspondance ! Pourtant, je ne le voudrais pas, et je pense bien souvent à toi. Ta lettre m'a fait beaucoup de plaisir, sauf que je n'ai pas été très satisfait des nouvelles que tu me donnes, puisque tu dis que tu ne travailles pas. Je sais combien ces moments-là sont difficiles, et il n'y a guère de remède que dans la patience — Je sais que parler ainsi n'avance pas à grand-chose, mais quoi, frère ! Il y a un temps pour tout, et pour la semence et pour la fleur. Je souhaite bien que cet état ne dure pas. Il ne durera pas d'ailleurs. Tu sais que tout change, en ces domaines, d'un jour à l'autre. Il faut faire confiance. Moi, j'ai eu plus de chance, j'ai assez bien travaillé, et j'espère enfin aboutir — mais ne soyons pas non plus trop fanfaron. Tout est fragile. La vie est si délicate, oncle Vania[1] ! — Dis-moi si tu reviens, ou si tu pars sur ce pétrolier — Le Golfe Persique, c'est une grande tentation. À ta place, j'y succomberais, mais, à *ma* place, je te réclame et souhaite te revoir ici bientôt. Mets-moi un mot. De toute façon, je ne pense pas que tu rentres avant la fin du mois, n'est-ce pas cela que tu m'avais dit ? — Je n'ai pas bougé de Paris pendant ce qu'on appelle les fêtes, j'ai travaillé dans mon coin. J'étais le seul habitant des lieux — Bien. Je ne me plains de rien, pour une fois — pas même de l'affreuse chaleur qu'il a fait. Je n'ai vu personne, sauf hier, pendant deux minutes, Michel, Jeanine et Lehmann[2]. Michel avait reçu un mot de toi. Je prie les Dieux pour que la fin de ton séjour soit plus fertile que le commencement. Il ne faut pas se raidir, il ne faut pas se rebeller — du moins : il ne le faudrait pas — Adieu, frère — Salue et embrasse tout ce qui t'entoure, tu sais que je suis ton vieux duchnok (je repasse sur les lettres à cause de l'orthographe) lequel t'attend avec impatience et t'embrasse tendrement

Louis

1. Guilloux cite une réplique de la pièce d'Anton Tchekhov, *Oncle Vania.*
2. Michel et Jeanine Gallimard, et le docteur Lehmann, ami des précédents.

53. — LOUIS GUILLOUX À ALBERT CAMUS

15 mars 1953.

Mon Albert

La Suisse est un autre désert, où la pensée ne progresse guère — mais la guenille s'y refait, par les fromages et les charcuteries. C'est une parfaite horreur. J'y suis resté, et j'y reste encore un peu[1], pas encore devenu complètement idiot, mais en bonne voie. Ajoute au fromage et au reste le sommeil que je ne connaissais plus, et que j'ai retrouvé ici à une dose depuis longtemps inconnue, de dix à douze heures par jour, pas moins — Le seul reste de vie que je me sente se traduit par des cauchemars assez réguliers, preuve que la Suisse n'est pas complètement dépourvue d'esprit. Bien. En partant d'ici, j'irai pour quelques jours en Bourgogne, à Joigny, puis je rentrerai à Paris et on verra. — D'ici là, un mot de tes nouvelles me ferait le plus grand plaisir, à condition que tu ne tardes pas trop et que tu l'envoies chez Madame Robert, 15 avenue d'Auxerre à Joigny. J'y serai sans doute vers la fin de la semaine prochaine. Ce petit changement d'air m'a fait assez de bien sans que je sois du reste parvenu à régler aucun de mes problèmes. Il faudrait travailler, mais je n'ai pas fait grand-chose, j'ai surtout lu. Bien. Nous en reparlerons — Et toi ? Je ne sais rien, je n'ai de nouvelles de personne. À bientôt. Je t'embrasse et j'embrasse Francine — J'espère que tout va à peu près bien pour vous ? — Salut — et si tu le peux, envoie un petit mot. Ton vieux

Louis

1. Guilloux est à Lausanne, comme tous les ans, pour l'attribution du prix Veillon (voir lettre du 10 janvier 1948 et la note 2).

Paris, le 26 mars 1953

Mon bon Louis,

Je savais que la Suisse était un pays qui portait au sommeil et je me réjouis de savoir que tu dors douze heures par jour. Pour le reste, il vaut mieux faire des cauchemars que de dormir sans rêves : on vit deux fois.

Ici, c'est le printemps, ça ne me rend pas plus fier. Il serait exagéré de dire que les nouvelles sont bonnes. Mais enfin, depuis la mort de Joseph, il y a un grand pas de fait[2].

Je travaille même et je viens de terminer ta préface[3]. Je serai seul à Paris du 1er au 13, mais je m'absenterai quatre ou cinq jours autour du 6 ; Suzanne[4] te renseignera.

J'ai été content que tu m'écrives. Mon vieux cœur commençait à s'émouvoir de ton silence. Tout le monde se demandait où tu étais. J'ai rassuré tout le monde en expliquant que tu étais devenu professeur de ski à Davos.

Adieu, don Luis[5]. Reviens vite. Les aéronautes de l'esprit[6] sont un peu seuls en ce moment. On t'embrasse,

Albert Camus

1. Lettre adressée à Guilloux, chez Mme Robert à Joigny. Lettre dactylographiée sur papier à en-tête de la NRF Librairie Gallimard ; la signature est manuscrite.
2. Joseph Staline est mort le 5 mars 1953.
3. Camus prépare une préface pour la réédition de *La Maison du peuple* chez Gallimard ; il reprend pour ce faire la présentation

qu'il en avait donnée dans *Caliban* en avril 1948. Le 7 décembre 1952, Guilloux s'interrogeait dans ses *Carnets* : « À propos de la réimpression de *La Maison du peuple* et *Compagnons* : dois-je ou ne dois-je pas, ainsi qu'on me le suggère chez Grasset, donner en même temps que le texte d'Albert un texte de moi pour expliquer ces ouvrages "historiquement" : de la Maison du peuple au procès de Prague ? » (*op. cit.*, p. 232).

4. Suzanne Agnely, la secrétaire de Camus chez Gallimard.

5. Camus hispanise et anoblit plaisamment le prénom de Guilloux.

6. Camus reprend l'expression de Nietzsche ; à la fin de *Aurore. Réflexion sur les préjugés moraux* (1881), celui-ci lance une vibrante adresse aux esprits libres : « Nous autres, aéronautes de l'esprit ! »

55. — ALBERT CAMUS À LOUIS GUILLOUX[1]

Le diable en gondole
Le diable à Venise
Dans la nuit tous les chats sont gris
La gondole et le Danois
Il fait humide en enfer

Miaou ! Miaou !

[encadré] Diable[2]

1. Texte griffonné par Camus au dos d'une enveloppe oblitérée à Oran le 13 avril 1954 et adressée à Camus, rue Madame.

2. Camus fait écho sur le mode humoristique à sa lecture de *Parpagnacco*, une histoire de chat à Venise, qui paraîtra en juillet 1954 chez Gallimard. Il est un des tout premiers à en avoir lu le manuscrit, comme l'attestent les *Carnets* de Guilloux (voir notre Chronologie).

[lundi 20 février 1956]

Il manque, mon bon ami, les dix dernières pages[2] que je te donnerai demain, foi d'animal[3]

Amuse-toi et fustige.

Du cœur

A.

1. Papier à en-tête de la NRF.
2. Il s'agit du manuscrit de *La Chute*.
3. Camus cite plaisamment la cigale de la fable de La Fontaine : « Je vous paierai, lui dit-elle, / Avant l'août, foi d'animal, / Intérêt et principal. »

57. — ALBERT CAMUS À LOUIS GUILLOUX[1]

[mai-juin 1956]

Cher Louis,

Mes enfants démarrent samedi matin pour le Midi. Je voudrais bien les voir vendredi. Peut-on renvoyer le rendez-vous à lundi — et nous le préciserons si tu passes.

Pardon, humblement, et affections, hautement

A. C.

Très bon (et juste) article d'E[mile] H[enriot] dans *Le Monde* to-day sur le *Carnet*[2].

1. Papier à en-tête de la NRF Librairie Gallimard.
2. Il s'agit du feuilleton d'Émile Henriot, « La vie littéraire », consacré ce jour-là en grande partie au livre de Liliana Magrini, *Carnet vénitien*, qui vient de paraître chez Gallimard.

58. — [ALBERT CAMUS À RENÉE GUILLOUX[1]]

Albert Camus vous remercie[2], de tout cœur, et vous adresse des très reconnaissantes pensées.

5 novembre 1957

1. Message manuscrit adressé à la femme de Louis Guilloux sur une carte format carte de visite.
2. Renée Guilloux a sans doute félicité Camus pour l'obtention du prix Nobel.

59. — ALBERT CAMUS À LOUIS GUILLOUX

[décembre 1957[1]]

À Jonas I, pour les frimas
Joyeux Noël de Jonas II

1. Date probable en raison de l'allusion à la nouvelle « Jonas, ou l'Artiste au travail », cinquième nouvelle de *L'Exil et le royaume*, publié en 1957 chez Gallimard. Il faut toutefois noter que Jonas est déjà le personnage central du mimodrame « La Vie d'artiste », que Camus a publié en 1953 dans la revue *Simoun*. Jonas est un peintre qui, en raison des tâches et responsabilités nouvelles liées à son succès grandissant, ne trouve plus le temps et la solitude nécessaires à la création ; son dilemme se traduit

par l'œuvre qu'il peint à la fin de la nouvelle : une « toile entièrement blanche, au centre de laquelle Jonas avait seulement écrit,
en très petits caractères, un mot qu'on pouvait déchiffrer, mais
dont on ne savait s'il fallait y lire *solitaire* ou *solidaire* » (« Jonas
ou l'Artiste au travail », *L'Exil et le royaume*, *OC* IV, p. 83).

60. — LOUIS GUILLOUX À ALBERT CAMUS

13 avril 1958

Saint-Brieuc

Mon Albert, tu as bien raison, on peut toujours
écrire un mot pour avoir et donner des nouvelles.
C'est ce que je fais. Où es-tu et comment vas-tu ?
Autrement dit, réussis-tu à ne plus trop souffrir
de ces angoisses[1] dont nous parlions ? Je l'espère beaucoup pour toi. Comment as-tu trouvé
ta mère[2] ? Fais-moi un petit mot. Je t'écris de
la clinique, on m'a enlevé deux hernies il y aura
mardi huit jours. Ça n'a pas été aussi doulou-
reux que je l'appréhendais, en fait rien de plus
que très désagréable, avec une très bonne cure
de repos ensuite qui va me prolonger pendant
une quinzaine de jours encore. Voilà, frère. Com-
munions dans la souffrance ! Écris-moi à Saint-
Brieuc jusqu'à la fin du mois. Ensuite je passerai
par Paris, où j'espère te voir et j'irai en Suisse.
La chambre que j'occupe est mitoyenne avec la
communauté des vingt bonnes sœurs de l'éta-
blissement. Je les entends tous les soirs à l'heure
du repas, se marrer comme des folles, de vrais
chahuts de collégiennes ; hier soir, il y en a deux
qui se sont flanqué une peignée au milieu des
rires comme j'en avais rarement entendus. Âmes

pures ! Bonsoir — N'oublie pas que mon adresse est 13 rue Lavoisier.

À toi, vieux frère.

Louis

1. À la fin de 1957 et au début de 1958, Camus mentionne à plusieurs reprises dans ses *Carnets* ses graves crises d'angoisse ; par exemple, le 29 décembre : « Quinze heures. Nouvelle crise panique. [...] Pendant quelques minutes sensation de folie totale. Ensuite épuisement et tremblements. Calmants. [...] / Nuit du 29 au 30 : interminables angoisses. » En janvier-mars : « Les grandes crises ont disparu. Sourde et constante anxiété seulement. » En avril, « retrouver un équilibre » (*OC* IV, p. 1267-1272).

2. Camus a séjourné en Algérie une quinzaine de jours entre la fin mars et la mi-avril 1958, pour être près de sa mère ; à cette occasion, il revoit de nombreux amis, rencontre Mouloud Feraoun pour qui il éprouve une vive sympathie, mesure la gravité de la situation algérienne et retourne à Tipasa.

61. — ALBERT CAMUS À LOUIS GUILLOUX[1]

24 avril 1958

Cher Louis,

Je vais mieux. Le repos, l'oubli des responsabilités, la lumière surtout ont dissipé pour le moment ces mauvaises angoisses. Je rentre à Paris au début mai, sans joie. Pour le moment, je suis content ici, travaillant le matin, faisant du bateau l'après-midi. La mer m'a toujours lavé de ma crasse[2].

Te voilà plus léger avec deux hernies en moins. Jusqu'où monteras-tu ? Enfin, travail et sérénité, voilà ce que je te souhaite, avec beaucoup de bonnes choses pour la familia. J'espère te voir le mois prochain à Paris. Fais signe.

Affectueusement

Albert

1. Lettre envoyée de Cannes ; Camus y séjourne dans la maison de Michel Gallimard.

2. Camus travaille à son adaptation des *Possédés* qui sera créée à Paris, au théâtre Antoine, le 30 janvier 1959. Mais, disposant du bateau de Michel Gallimard, il fait aussi de longues et fréquentes sorties en mer. Il note dans ses *Carnets* : « La lumière — la lumière — et l'anxiété recule, pas encore disparue mais sourde, comme endormie dans la chaleur et le soleil. [...] Récupération presque totale, j'espère même puissance accrue. [...] N'attendre rien et ne demander rien que cette puissance de don et de travail » (*OC* IV, p. 1273).

62. — ALBERT CAMUS À LOUIS GUILLOUX[1]

10 novembre 1959

Cher vieux,

J'ai lu les *Batailles perdues*[2]. C'est un beau livre qui a son unité dans les dix ans d'histoire qui y circulent. Plein de vie, et de vies, et avec une belle mélancolie. J'aime les retours sur eux-mêmes de Cantoni et de Cardinal. Et les surprises du récit, le mélange des fictions dans l'histoire de Lady Glarner[3] — Bon, n'y touche plus. Il y a des longueurs mais c'est la loi du genre et il n'est pas sûr qu'elles ne soient pas utiles. Non, n'y touche pas. Je ne vois pas non plus pourquoi l'épilogue. La guerre d'Espagne et la suite, on la connaît, la douleur s'y prolonge, le monde s'est mis en marche alors pour

dix ans de nuit, plus la suite et ce qui nous attend
— on le sait, on se le dit en refermant le livre :
quoi de mieux ? Laisse paraître le livre maintenant. Il a sa place, et belle, auprès des autres.
Affectueusement

Albert

Tu parles de la justice et de l'émancipation
ouvrière comme celui qui a perdu la foi parle du
royaume des cieux[4]. Mais tu as raison, il faut parler du royaume.

---

1. Papier à en-tête « Albert Camus ».
2. Guilloux a envoyé à Camus le manuscrit des *Batailles perdues* ; le roman paraîtra début 1960 chez Gallimard.
3. Dans ce gros roman (plus de six cents pages), Guilloux
campe de nombreux personnages dont les destins se croisent,
pendant quelques mois entre 1934 et 1936, et entre Paris et la
Bretagne. Le lecteur les rencontre puis les perd de vue ; ils lui
sont à la fois proches et opaques. Parmi eux, la richissime et
fantasque Lady Gladner, qui joue de la fascination qu'elle exerce,
et fabrique son propre malheur ; l'avocat Cantoni que la maladie
fait revenir sur ses choix et sur ses amours perdues ; Cardinal,
le romancier raté.
4. La dernière partie des *Batailles perdues* se passe en juin-
juillet 1936 : elle rend compte très précisément de la liesse
générale à l'avènement du Front populaire, mais aussi de l'inquiétude devant la montée d'Hitler et les menaces de guerre ;
elle se termine avec l'annonce du putsch des généraux contre la
République espagnole (trois des personnages de premier plan,
Eugène, Franz et Marco, s'apprêtent à partir en Espagne). Les
« batailles perdues », ce sont celles des hommes qui échouent à
construire leur bonheur, intimement liées à celles des peuples
qui ont cru à la paix et à la révolution, et dont les espoirs vont
être engloutis par la montée des totalitarismes et l'éclatement
de la Seconde Guerre mondiale. Camus, lui aussi, a « parlé du
royaume » dans son recueil de nouvelles de 1957, *L'Exil et le
royaume* ; toutes les batailles n'y sont pas perdues, mais les vrais
royaumes s'y révèlent ambigus et paradoxaux.

Mardi 17 novembre 1959
Saint-Brieuc

Mon cher Albert,

Je te remercie beaucoup d'avoir lu tout de suite ce gros paquet[2], et je te suis bien reconnaissant pour cela et pour tout ce que tu m'en dis. J'aurais bien voulu avoir avec toi une petite conversation, mais tu es à Lourmarin, et Suzanne me dit que tu ne rentreras pas tout de suite. Tout de même, j'espère que nous pourrons parler de ce livre avant le bon à tirer ! Je pars tout à l'heure pour Paris, voir Gaston. Il est de ton avis quant à tout épilogue — Bien sûr, je vois bien. Tout peut s'achever en effet comme tu le dis sur cette perspective — Et nous ferons sans doute ainsi. Ce que je considérais comme l'épilogue, soit plus de deux cents pages, feront un deuxième volume, au lieu d'une deuxième partie. Tranquillement, Gaston me disait hier au téléphone (avec raison du reste) qu'un écrivain n'est pas obligé de publier tout ce qu'il écrit et que d'ailleurs après ma mort on ferait une édition critique. Ceci ne me console pas tout à fait. — Un point sur lequel je voudrais bien ton avis est celui de savoir si ce que j'écris concernant Blum[3] ne t'a pas semblé trop dur ou même injuste ? Si tu peux me répondre un mot là-dessus j'en tiendrai compte. Quant à la mélancolie en pensant au royaume, comment pourrait-il en être autrement, bien que je ne puisse renoncer à croire qu'à la fin n'apparaisse quelque part une lumière.

Merci encore, mon Albert. Revoyons-nous bientôt pour parler de cela et du reste. Tu travailles, j'espère ? Je serai un peu plus à Paris ces temps prochains, et nous nous verrons. Fais-moi signe, moi de mon côté, je vais me mettre à relire, à voir ces longueurs etc. Gaston joue l'homme pressé. Toujours bien affectueusement tien

Louis

1. Lettre adressée à Lourmarin.
2. Roger Grenier atteste de l'accablement (affectueux) de Camus devant la taille des manuscrits envoyés par Guilloux.
3. Dans la dernière partie des *Batailles perdues*, les personnages suivent avec anxiété les faits et gestes de Léon Blum en juin et juillet 1936, bien conscients que ses positions réformistes vont casser les espoirs révolutionnaires.

Lettres non datées

64. — ALBERT CAMUS À LOUIS GUILLOUX[1]

10 septembre

Mon vieux Louis,
Ne te frappe pas la poitrine. On ne pouvait prévoir cette ordure et j'ai pensé surtout à t'épargner bien vite la crainte que j'aie pu être peiné de cette coïncidence. Je suis ton ami, bien solidement.

1. Papier à en-tête de la NRF Librairie Gallimard.

65. — ALBERT CAMUS À LOUIS GUILLOUX

Le 9
10 heures

Cher vieux,
Je vais promener mes enfants en vallée de

Chevreuse. Pardon — excuse. Si tu avais été là, je t'aurais emmené, la journée est belle.

Affectueusement

A. C.

ANNEXES

ALBERT CAMUS

Dédicaces à Louis Guilloux

1939-1959

Noces : « À Guilloux / ces premières *Noces* / avec la neuve et déjà fidèle / amitié / d'Albert Camus »

Éditions Charlot, 1939

L'Étranger : « À Louis Guilloux / ces premières pages en souvenir / des premiers jours d'une amitié / — de tout cœur / Albert Camus »

Gallimard, 1942

Lettres à un ami allemand : « À Louis Guilloux / ces écrits de combat / qu'il faudrait corriger / mais où il me devinera peut-être / avec l'amitié / d'A. Camus »

Hors commerce de l'édition originale, Gallimard, 1945

Lettres à un ami allemand : « À toi, Louis (Guilloux) / pour célébrer notre commun / malheur / ne pas savoir haïr / et pour témoigner de notre consolation : l'amitié / Affectueusement : A. C. »

Service de presse de l'édition de 1948, Gallimard

La Peste : « *À Louis Guilloux* / puisque tu as écrit ce livre / en partie. / Avec l'affection de ton vieux frère / A. Camus »

Service de presse de l'édition originale, Gallimard, 1947

L'État de siège : « À Guilloux Renée (Louis) Yvonne[1] / pour faire honte au second / de ne pas écrire à son fidèle / et tendre / ami / Albert Camus »

Gallimard, 1948

Richard Maguet (1896-1940) : « À Louis, / Albert. / Un jour de pluie / 3 juin 1949 »

[Galerie André Maurice, Paris avril 1949]

Actuelles I : « À Louis Guilloux / son vieux frère, de et / pour toujours / A. Camus »

Gallimard, 1950

L'Homme révolté : « Pour toi, mon vieux Louis, / ce livre dont tu es l'un des rares à savoir ce qu'il représente / pour moi / avec la fraternelle tendresse / de ton vieux / Camus »

Gallimard, 1951

1. Les trois prénoms sont écrits les uns sous les autres et réunis par une accolade.

Actuelles II : « à Guilloux (Louis) / pour assouvir son impatience / son vieux frère / Albert Camus »

Gallimard, 1953

Les Esprits : « À Louis, *Les Esprits* ou les difficultés d'un père / avec le cœur / d'A. C. »

Gallimard, 1953

La Dévotion à la Croix : « À Louis, / Sur la Croix, / son Saint Jean / A. C. »

Édition originale, Gallimard, 1953

L'Été : « À mon vieux compagnon de bagne »

Rapporté par Grenier dans ses *Carnets* le 19 mars 1954

L'Envers et l'endroit : « À mon sire[1] Louis Guilloux / son vieil et fidèle ami / Albert Camus »

Réédition, Gallimard, 1958

Les Possédés : « À Guilloux (Louis) ces *Possédés* / qui nous ont donné / une famille commune : affectueusement / A. C. »

Gallimard, « Le Manteau d'Arlequin », 1959

---

1. Écrit à l'intérieur d'un soleil dans lequel le nom de Camus est barré et « mon sire » écrit au-dessus.

LOUIS GUILLOUX

Dédicaces à Albert Camus

1927-1935

La Maison du peuple : « À Albert Camus, en mémoire des pères, en toute amitié fidèle, Louis Guilloux »

Un exemplaire numéroté
de l'édition Grasset, 1927

Hyménée : « À Albert Camus, ce livre raté, en attendant d'en écrire un bon, Son ami Louis Guilloux »

Service de presse de l'édition Grasset,
1932, non découpé

Le Sang noir : « À Albert Camus à Francine Camus en souvenir[1] d'une rencontre à Bougival, en toute amitié. Louis Guilloux »

Service de presse de l'édition Gallimard, 1935

---

1. D'un repas familial, ajout suggéré par Mlle Christiane Faure, 2 février 1946.

ALBERT CAMUS, LOUIS GUILLOUX
ET *CALIBAN*

1947-1951

*Un bon exemple de la manière dont Camus asso-
cie Guilloux à ses entreprises éditoriales : la revue*
Caliban *dirigée par Jean Daniel.*

Numéro 11 (novembre 1947)
Camus, « Ni victimes ni bourreaux » (première
publication dans *Combat* en novembre 1946).

Numéro 13 (janvier 1948)
Guilloux, *La Maison du peuple*, précédé d'une
présentation : « Albert Camus vous parle de Louis
Guilloux ».

Numéro 21 (novembre 1948)
Camus, « La démocratie, exercice de la modestie ».

Numéro 24 (février 1949)
Camus, « Madeleine Renaud ».

Numéro 30 (août 1949)
Guilloux, « Mon plus beau souvenir d'enfance ».

Numéro 34 (décembre 1949)

Guilloux, *Compagnons* avec une présentation de Maurice Nadeau, « Avez-vous lu Guilloux ? »

Numéro 36 (février 1950)

Guilloux, « Les bâtons dans les roues ».

Pour le troisième anniversaire de la revue, Jean Daniel écrit dans un encart : « Sous quels auspices plus fidèles que ceux de Camus et Guilloux pourrait être célébré notre troisième anniversaire qui témoigne, comme nous le disions déjà dans notre numéro 4, d'un effort accompli en marge de tous les conformismes ».

Numéro 37 (mars 1950)

Camus, *Les Justes*, acte II, avec le sous-titre « Ajouter à l'injustice vivante pour une justice morte ? » (avec des photos prises au Théâtre Hébertot).

Numéro 39 (mai 1950)

Camus, « La Justice, elle aussi, a ses pharisiens » (en réponse aux réactions au texte de mars).

Guilloux, « Il faut l'avoir lu ! », présentation de *Maître et serviteur* de Tolstoï, que la revue publie en entier.

Numéro 46 (décembre 1950)

Guilloux, « Ce qui peut encore être sauvé » pour la défense de la culture, et pour le développement de la Société européenne de la culture ; il y cite Camus : « À hauteur d'homme, comme le dit notre ami, Albert Camus ».

Numéro 54 (août 1951)

Camus, « Une des plus belles professions que je connaisse... », réponse à une interview sur le métier de journaliste.

Jean Daniel signe un encart : « c'est en quelque sorte le numéro de l'amitié ; il devait contenir des articles de Louis Guilloux, Henri Calet, Havet, et Bénichou ; mais ces articles ne sont pas arrivés à temps. »

Camus, « Une lettre » ; en dernière page, un texte en réponse aux attaques menées contre la revue.

IV

LOUIS GUILLOUX, ALBERT CAMUS ET HUMO,
DIRECTEUR DE LA REVUE *ARTS*

décembre 1952

Guilloux rapporte dans ses Carnets, *à la date du 21 décembre 1952 (p. 233-234), ce qui est advenu d'un texte de Camus pendant le voyage de celui-ci en Algérie, et la manière dont lui, Guilloux, est vigoureusement intervenu.*

Les amis de Camus se sont fort indignés de voir paraître dans *Arts* que dirige actuellement Humo le texte intitulé « L'artiste en prison » sans que la moindre note en expliquât la présence et, du reste, sans que rien permît de savoir si Albert était d'accord ou non. Le texte en question, que je connaissais depuis longtemps et que j'admire beaucoup, est une préface à la traduction de Jacques Bour de la *Ballade de Reading Gaol* d'Oscar Wilde. Le petit livre vient de sortir aux Éditions Falaize — il a été envoyé au journal en service de presse, pour compte rendu, et le nouveau directeur d'*Arts* a pris, dans le texte d'Albert, huit pages sur les quinze qu'il comprend et dont la publication en revue était réservée aux *Cahiers d'Art* qui ont dû y renoncer. Voilà comment notre Albert, qui avait fui Paris pour aller méditer au désert pendant qu'en même temps il fuyait les ennuis, est tombé sur *Arts* en rentrant à Alger. Il a aussitôt télégraphié à Jacques Bour pour exiger une rectification dans *Arts*, journal qui tout récemment encore, le « traînait dans la boue ». Samedi matin, avec Jacques Bour qui m'en priait, voulait avec lui un témoin ami d'Albert, nous sommes allés trouver Humo en qui, pour ma part, j'ai tout de suite vu que nous avions affaire à un très faux bonhomme de directeur qui, avec ses airs de séminariste, faisait de son mieux pour nous convaincre qu'il n'avait jamais rien voulu que servir la gloire d'Albert qu'il aime et admire. À quoi nous lui avons répondu qu'à publier un texte d'Albert il fallait au moins lui en demander l'autorisation, qu'il eût d'ailleurs sûrement refusée — mais Humo savait très bien qu'Albert n'était pas à Paris — et que, en tout cas, on ne devait pas donner à penser qu'Albert Camus n'hésitait pas à vendre sa prose à ses ennemis et que cela était proprement déshonorant. Ce de quoi Humo a convenu. Et il a fabriqué une lettre, qu'il publiera la semaine prochaine dans son journal avec une autre de Jacques Bour, pour remettre les choses au point.

V

ALBERT CAMUS

« *Avant-propos à*
La Maison du peuple »

Caliban, 1948 ; Grasset, 1953

Camus écrit ce texte pour présenter Guilloux dans le numéro de Caliban *qui reprend son roman* La Maison du peuple *; le texte servira de préface au volume qui reprendra* La Maison du peuple *et* Compagnons.

Presque tous les écrivains français qui prétendent aujourd'hui parler au nom du prolétariat sont nés de parents aisés ou fortunés. Ce n'est pas une tare, il y a du hasard dans la naissance, et je ne trouve cela ni bien ni mal. Je me borne à signaler au sociologue une anomalie et un objet d'études. On peut d'ailleurs essayer d'expliquer ce paradoxe en soutenant, avec un sage de mes amis, que parler de ce qu'on ignore finit par vous l'apprendre.

Il reste qu'on peut avoir ses préférences. Et, pour moi, j'ai toujours préféré qu'on témoignât, si j'ose dire, après avoir été égorgé. La pauvreté, par exemple, laisse à ceux qui l'ont vécue une intolérance qui supporte mal qu'on parle d'un certain dénuement autrement qu'en connaissance de cause. Dans les périodiques et les livres rédigés par les spécialistes du progrès, on traite souvent du prolétariat comme d'une tribu aux étranges coutumes et en parle alors d'une manière qui donnerait aux prolétaires la nausée si seulement ils avaient le temps de lire les spécialistes pour s'informer de la bonne marche du progrès. De la flatterie dégoûtante au mépris ingénu*, il est difficile de savoir ce qui, dans ces homélies, est le plus insultant. Ne peut-on vraiment se priver d'utiliser et de dégrader ce qu'on prétend vouloir défendre ? Faut-il que la misère toujours soit volée deux fois ? Je ne le pense pas. Quelques hommes au moins, avec Vallès et Dabit, ont su trouver le seul langage qui convenait. Voilà pourquoi j'admire et j'aime l'œuvre de Louis Guilloux, qui ne flatte ni ne méprise le peuple dont il parle et qui lui restitue la seule grandeur qu'on ne puisse lui arracher, celle de la vérité.

Ce grand écrivain, parce qu'il a fait ses classes à l'école de la nécessité, a appris à juger sans embarras de ce qu'est un homme. Il y a gagné du même coup une sorte de pudeur qui semble mal partagée dans le monde où nous vivons et qui l'empêchera toujours d'accepter que la misère d'autrui puisse être un marchepied, ni qu'elle puisse offrir un sujet de pittoresque pour lequel seul l'artiste n'aurait pas à payer. D. H. Lawrence rapportait souvent à sa naissance dans une famille de mineurs ce qu'il y avait de meilleur en lui-même et dans son œuvre. Mais Lawrence et ceux qui lui ressemblent savent que, si l'on peut prêter une grandeur à la pauvreté, l'asservissement qui l'accompagne presque toujours ne se justifiera jamais. Par-dessus eux-mêmes, leurs œuvres portent condamnation, et les livres de Guilloux ne se soustraient pas à ce grand devoir. De *La Maison du peuple*, son premier livre, au *Pain des rêves* et au *Jeu de patience*, ils témoignent tous d'une fidélité. L'enfance pauvre, avec ses rêves et ses révoltes, lui a fourni l'inspiration de son premier et de ses derniers livres. Rien n'est plus dangereux qu'un tel sujet qui se prête au réalisme facile et à la sentimentalité. Mais la grandeur d'un artiste se mesure aux tentations qu'il a vaincues. Et Guilloux, qui n'idéalise rien, qui peint toujours avec les couleurs les plus justes et les moins crues, sans jamais rechercher l'amertume pour elle-même, a su donner au style les pudeurs de son sujet. Ce ton un et pur, cette voix un peu sourde qui est celle du souvenir témoignent pour celui qui raconte, vertus de style qui sont aussi celles de l'homme.

On mesure mieux encore la tentation vaincue en voyant Guilloux prendre pour sujet unique de *Compagnons* la mort d'un ouvrier. La pauvreté et la mort font ensemble un ménage si désespéré qu'il semblerait qu'on ne puisse en parler sans être Keats, si sensible, a-t-on dit, qu'il aurait pu toucher de ses mains la douleur elle-même. Il n'empêche que dans ce petit livre, qui a le ton des grandes nouvelles de Tolstoï (Ivan Ilitch, ici, est devenu maçon), Guilloux ne cesse de se maintenir à la hauteur exacte de son modèle, sans le dégrader et surtout, oui, surtout, sans le majorer. Pas une seule fois le ton ne s'élève. Je défie pourtant qu'on lise ce récit sans le terminer la gorge serrée. Guilloux sait comme nous tous qu'il y a un tarif de la mort dans nos belles entreprises municipales et que mourir est devenu un luxe qu'on ne peut vraiment plus se permettre. Mais ce n'est pas de cela qu'il parle ; on ne relèvera pas une plainte dans *Compagnons*. Jean Kernevel, au contraire, semble mourir heureux. Simplement, devant cette joie inexplicable qui lui vient quelques instants avant sa fin, il n'exprime qu'une sorte de gauche surprise, comme si cette joie n'était pas dans l'ordre. « Qu'est-ce que j'ai, dit-il alors, qu'est-ce que j'ai ? » Pourquoi dire plus, en effet ? Le bonheur demande une disposition à laquelle la pauvreté prépare moins bien qu'à la mort silencieuse.

Ceci dit, je trahirais Guilloux si je laissais croire qu'il est seulement le romancier de la pauvreté. Un jour où nous parlions de la justice et de la condamnation : « La seule clé, me disait-il, c'est la douleur. C'est par elle que le plus affreux des criminels garde un rapport avec l'humain. » Et il me citait un mot de Lénine, pendant le siège de Leningrad, alors qu'il voulait faire participer au combat des prisonniers de droit commun : « Non, protestait un de ses compagnons, pas avec eux. — Pas avec eux, répondit Lénine, mais pour eux. » Un autre jour, Guilloux observait, à propos de l'humeur railleuse d'un de nos amis, que le sarcasme n'était pas forcément un signe de méchanceté. Je répondais qu'il ne pouvait passer, cependant, pour le signe de la bonté : « Non, dit Guilloux, mais de la douleur à quoi on ne songe jamais *chez les autres*. » J'ai retenu ces mots qui peignent bien leur auteur. Car Guilloux songe presque toujours à la douleur *chez les autres*, et c'est pourquoi il est, avant tout, le romancier de la douleur. Les plus misérables créatures du *Sang noir*, aux yeux de leur auteur, ont une excuse dans la souffrance de vivre. On sent bien pourtant que douleur ne veut pas dire ici désespoir. *Le Sang noir* portait une bande désespérée : « La vérité de cette vie, ce n'est pas qu'on meurt, c'est qu'on meurt volé. » Et cependant ce livre tendu et déchirant, qui mêle à des fantoches misérables des créatures d'exil et de défaite, se situe au-delà du désespoir ou de l'espoir. Nous sommes avec lui au cœur de ces terres inconnues que les grands romanciers russes ont tenté d'explorer. En vérité est-il un seul grand artiste qui n'y ait abordé au moins une fois ? Les êtres y courent à leur fin, à la fois solitaires et confondus, identiques et irremplaçables. Placés au-delà de la justification, ils se détachent alors avec la puissance de la vie, assez semblables à nous pour que nous les reconnaissions, mais portés au-dessus de nous, agrandis par la souffrance qui fixe leurs attitudes dans notre mémoire et les rend, pour finir, exemplaires : ce sont les grandes images de la compassion. Voilà le grand art de Guilloux qui n'utilise la misère de tous les jours que pour mieux éclairer la douleur du monde. Il pousse ses personnages jusqu'au type universel, mais en les faisant d'abord passer par la réalité la plus humble. Je ne connais pas d'autre définition de l'art, et, si tant d'écrivains aujourd'hui font mine de s'en écarter, c'est qu'il est plus facile d'étonner que de convaincre. Guilloux s'est privé de cette facilité. Son goût presque désordonné pour les êtres, la longue confrontation qu'il poursuit avec un monde intérieur grouillant de personnages l'ont porté comme naturellement à l'art le plus difficile. Pour moi, qui viens de reprendre tous ses livres, il ne fait aucun doute que cette œuvre ne se compare à aucune autre.

Mais je n'ai pas encore parlé de *La Maison du peuple*, le premier livre de Guilloux. Je n'ai jamais pu le lire sans un serrement de cœur : je le lis avec des souvenirs. Il me parle sans arrêt d'une vérité dont je sais, malgré les professeurs de philosophie et de tactique, qu'elle passe les empires et les jours : celle de l'homme seul en proie à une pauvreté aussi nue que la mort : « Il savait, en écoutant le sifflet des locomotives, si le temps serait à la pluie. » J'ai si souvent relu ce livre que ce sont des phrases comme celle-là qui m'accompagnent, maintenant, quand je l'ai refermé. Elles m'éclairent le personnage du père dont je connais par cœur les silences et les révoltes. Lui, si retranché, je le sens alors accordé au monde, comme au temps de sa jeunesse où il allait se baigner avec son meilleur ami. Cet ami lui-même a pris dans ma mémoire une place apparemment disproportionnée. Mais il vit en moi par son absence, et seulement parce qu'en une phrase Guilloux note que son père l'a perdu de vue après le régiment, sans que nous puissions savoir si cela a été dur ou non. Bel exemple de l'art indirect avec lequel Guilloux fait sentir combien la misère ôte de leurs forces aux passions qui lui sont étrangères. Un excès de pauvreté raccourcit la mémoire, détend l'élan des amitiés et des amours. Quinze mille francs par mois, la vie d'atelier, et Tristan n'a plus rien à dire à Yseult. L'amour aussi est un luxe, voilà la condamnation.

Mais je ne veux pas refaire à gros traits ce qui est constamment suggéré par ce livre. Je voulais seulement dire que j'entretiens un long commerce avec lui et qu'il est de ceux qui se transforment dans le souvenir sans jamais s'épuiser. Voici plus de vingt ans, en tout cas, qu'il poursuit sa vie dans quelques cœurs, et qu'il y fait du bien, loin de son auteur qui ne le sait pas assez. De combien de livres, aujourd'hui, pourrais-je écrire ceci sans mentir, et lesquelles de nos œuvres donneront jamais une si pure occasion d'admirer leur art et d'aimer leur auteur ?

Albert Camus

* Par exemple, les prolétaires n'aimeraient le peu de liberté dont ils disposent. Le pain seul les intéresse et, faute de pain, que feraient-ils des libertés formelles ? Ô bassesse !

« Que préfères-tu, homme, celui qui veut te priver de pain au nom de la liberté ou celui qui veut t'enlever ta liberté pour assurer ton pain ? » Réponse : « Sur qui cracher le premier ? »
[Les notes appelées par un astérisque sont de l'auteur.]

VI

L'affaire Libération

octobre-novembre 1953

Claude Roy (1915-1997), écrivain et journaliste, membre du PCF — dont il sera exclu en 1956 — tient la chronique littéraire dans le journal Libération *(1941-1964), issu de la Résistance et soutenu par le PCF.*

28 octobre. « La Maison du peuple », rubrique « La vie littéraire » de Claude Roy, dans Libération

Je n'avais lu ni *La Maison du peuple* ni *Compagnons*, ces deux récits de Louis Guilloux qu'on vient de republier. Je ne pouvais, l'an dernier, devant cet impatientant, chaotique et luxuriant *Jeu de patience*, que regretter le Guilloux du *Sang noir*. Mais, dans mon souvenir, aujourd'hui, refermant *La Maison du peuple* et *Compagnons*, je m'interroge : ce court roman, cette nouvelle, ne sont-ils pas les chefs-d'œuvre de Guilloux ? Car ce sont assurément deux chefs-d'œuvre, et plus purs peut-être, plus parfaits que le tumultueux, l'âpre, le terrible *Sang noir*. *La Maison du peuple*, c'est l'évocation d'une enfance, le portrait par Guilloux de son père, le cordonnier, de sa mère, du Saint-Brieuc de son enfance : artisans, ouvriers, militants socialistes.

Compagnons, c'est le récit de la mort d'un plâtrier, Jean Kernevel. Les souvenirs et le conte ont le même accent. Dans l'évocation du passé comme dans la fiction, Guilloux raconte comme on se souvient. Il n'est pas vrai que la mémoire soit floue, imprécise. Elle choisit, elle épure. Guilloux ici n'écrit qu'avec cette mémoire du cœur, qui est la plus économe, et la plus généreuse. Économe, parce qu'elle ne conserve que l'essentiel. Généreuse, parce qu'elle suggère à l'infini. Le grand luxe de petites notations, d'images et de sensations, qui honore tant de jeunes romanciers, et dans lequel ils se noient, comme il fait pauvre et gris à côté de la concision de Guilloux ! L'écrivain ne cherche pas ici à faire illusion — mais, constamment, il fait allusion. Quand le père du narrateur s'est jeté dans la lutte (« Un homme qui n'a pas le sou, faire de la politique », dit une dame du voisinage…) il suffit à Guilloux d'une page pour évoquer ce qu'était à l'époque (ce qu'est toujours) la lutte des classes : scène admirable où, se penchant pour prendre une paire de souliers dans le tas à réparer, le cordonnier s'aperçoit qu'il n'y en a plus, que le tas a disparu, que ses clients l'ont quitté. On ne peut suggérer plus de choses (et plus d'idées) avec plus de discrétion et de violence sourde. D'un bout à l'autre, *La Maison du peuple* et *Compagnons* sont de cette qualité. Ce n'est pas seulement celle d'un art, mais celle d'un homme.

Livre discret et frémissant, on voit bien que *La*

Maison du peuple est aussi un livre dangereux. On y évoque avec force une misère qui n'a guère changé de visage, on y dénonce avec une sévérité précise les politiciens qui trahissent cette misère, tel le socialiste Rébal, dont on trouverait sans peine, en 1953, un assez bon nombre d'émules. Albert Camus s'est chargé, sur ce ton hautain, amer et de bonne compagnie où il excelle, de la délicate opération qui consiste à « désamorcer » cette bombe. La préface de *La Maison du peuple* est un petit chef-d'œuvre de démagogie distinguée. « Presque tous les écrivains français qui prétendent aujourd'hui parler au nom du prolétariat sont nés de parents aisés ou fortunés », écrit Albert Camus. C'est un jugement d'une grossièreté assez étonnante, mais dont Albert Camus tire un parti remarquable. Dans les conversations de train, il y a toujours un monsieur qui clôt le bec à son interlocuteur en disant : « Moi qui ai fait la guerre de 14, monsieur... » C'est à peu près, avec plus d'artifice et de feinte délicatesse, le ton qu'emploie Camus. Il ne consent à autoriser à parler de la pauvreté que les écrivains qui sont nés pauvres. Il faudrait, en se fondant sur ce critère, demander à La Bruyère, à Tolstoï, à Tourguenieff, à Pirandello, etc. de fournir le double des feuilles d'impôts de leurs parents, avant de les autoriser à parler des paysans français, des moujiks russes, ou des *caffone* siciliens. Quelle bêtise, et quelle hypocrisie ! La misère n'est pas intenable seulement pour ceux qui l'ont vécue : elle est intenable aussi pour ceux qui ne peuvent consentir de la supporter chez les autres. L'ancien vagabond Gorki et le comte Tolstoï me semblent avoir un droit égal à parler de ce qui leur tient à cœur. Cette critique d'inspecteur des contributions directes n'est pas seulement bête, elle est aussi infâme.

5 novembre. Note de Guilloux
dans le manuscrit des Carnets[1]

Hier mercredi, ma lettre au directeur de *Libération* au sujet de la note de Claude Roy sur *La Maison du peuple* qui aurait dû être publiée par ce journal ne l'a pas été, mais dans la soirée, j'ai reçu une lettre de Valois, directeur de ce journal, m'informant que Claude Roy n'étant pas à Paris, ma lettre n'avait pu lui être communiquée, et qu'elle ne paraîtrait que la semaine prochaine. Ceci, évidemment, pour lui permettre les commentaires auxquels il a droit. Je me demande quels ils seront et ne doute pas qu'il soit embarrassé. Du coup Albert et moi avons renoncé au projet déjà formé d'envoyer cette même lettre à *Combat*. Nous y eussions fait état d'une ancienne lettre du même Claude Roy à Daniel, alors que ce dernier dirigeait *Caliban*, lettre où Claude Roy félicitait Daniel d'avoir publié dans sa revue ce même ouvrage *La Maison du peuple* que, dans sa chronique de *Libération*, il déclare avoir lu pour la première fois dans la réimpression établie par Grasset. Ce qui prouve qu'il n'est qu'un menteur ou, pour le moins, un esprit léger et oublieux.

1. [LGO CII 03.02.05 f° 52 à 53].

Suit une lettre, très sarcastique, sous le titre
« (Note de la Rédaction). Roman[1] »
dont nous extrayons les passages suivants

« Monsieur Claude Roy, s'il vous plaît ? » « Monsieur Claude Roy n'est pas à Paris... Nous avons reçu sa dernière chronique par la poste, etc. » Mais cela, il nous semble l'avoir dit dans la nôtre, de dernière chronique et que nous avions reçu une lettre de Monsieur Valois, directeur de *Libération* ? Oui ou non, l'avons-nous dit ? Oui, nous l'avons dit, mais ce que nous n'avons pas dit, c'est que le même Claude Roy avait écrit à Jean Daniel du temps que Daniel dirigeait *Caliban*, et qu'il publiait dans cette revue deux coquets ouvrages du coquet [des accusations de coquetterie ont été portées de part et d'autre] auteur que nous sommes, que Monsieur Claude Roy donc, avait écrit une coquine de lettre à Jean Daniel pour le féliciter sur son bon goût, et que nous avions cru que le Claude Roy félicitait aussi le Jean Daniel pour l'article d'Albert dans *Caliban*, article devenu l'avant-propos à la réimpression chez Grasset. Et cela eût bien fait notre affaire, car nous eussions roulé le Claude Roy dans la boue où il nous traîne, mais par malheur, il n'y avait dans la lettre à Jean Daniel que des félicitations concernant la publication de mes ouvrages, et rien pour Albert — ainsi l'argument nous tombe des mains. Il n'en reste pas moins que le Claude Roy, membre du parti communiste, a commencé sa carrière politique à l'Action Française, et qu'il l'a continuée à Radio-Vichy. Ce sont là de grands titres. On verra mercredi ce

1. [LGO CII 03.02.05 f° 54 à 59].

qu'il raconte et comment il s'en tire, et si je suis un imbécile ou un traître. [...] [Il rencontre Romain Rolland qui lui demande de lui acheter l'*Huma*] Je réponds à Rolland, fort amicalement du reste, que je ne lui achèterais pas *L'Humanité*, que c'était une chose qu'il pouvait m'arriver de faire, mais que je la faisais de moi-même, et que du reste, comme il devait bien le savoir, ce n'était pas dans l'instant où Monsieur Claude Roy insultait mes amis, c'est-à-dire moi-même, que je pouvais me sentir porté à lui faire, à lui, Rolland, camarade de Claude Roy, ce petit plaisir. À quoi Rolland me répondit qu'il était en effet au courant, ce qui établissait, de sa part, ou confirmait la provocation, qu'il avait lu l'avant-propos de Camus et qu'il le trouvait « dégueulasse ». À quoi je lui répondis à mon tour que c'était là un mot bien gros et même grossier, mais que nous n'en discuterions pas, vu que j'avais l'honneur d'être l'ami de l'auteur de cet avant-propos. Et ma foi, je le plantai là. Aujourd'hui, je l'ai de nouveau rencontré dans les escaliers de la NRF. Mains dans les poches, lui comme moi. Et me voilà un ami de plus. Mais du train dont vont les choses, je vais m'en faire d'autres sans tarder. En effet, Jean Daniel m'a rapporté un propos venu tout droit de *Libération*, Dieu sait transmis par qui, aux termes duquel c'est une décision fermement arrêtée de la part des communistes, de ne plus rien tolérer de Camus ni de ses amis. Voilà qui nous en promet. Pour moi, dans la mesure où je me trouve impliqué, je pense que c'est une bonne chose, et que je ne puis qu'y gagner du point de vue de la clarté des positions et des idées. Pour être complet, j'ajoute que cette déclaration de guerre à Camus date du meeting qu'il présida, cet été, meeting organisé pour protester contre les fusillades d'ouvriers allemands à Berlin, par les troupes soviétiques. Je devrais ici introduire un point de méditation sur la fidélité qui se doit à ses amis, mais qui n'est une vraie fidélité qu'à la condition qu'on sache garder sa différence, surtout quand il s'agit des idées. Je ne veux point dire que je mette à la fidélité des conditions, ni non plus qu'Albert professe certaines idées auxquelles je serais hostile. Nous nous trouvons, en général, assez d'accord. Mais enfin, dans ce domaine, chacun doit répondre pour son propre compte, et tout faire pour éviter la confusion. [...] Cette polémique Claude Roy m'a fait revenir en mémoire l'histoire du camarade communiste arrêté (le commandant Émile) et relâché après trois jours de protestations et de manifestations véhémentes, auxquelles j'avais participé, et qui me dit le surlendemain de son retour que je collaborais avec des traîtres, sous prétexte qu'il avait vu un texte de moi à côté d'un texte de Camus dans *Empédocle*[1]. Il se peut que je me mette à ce petit récit dont la matière est très riche, et que j'avais laissé de côté jusqu'à présent, par scrupule. Mais au moment où j'écris ceci, je me réponds à moi-même, que, dans la mesure où il est vrai que j'ai renoncé à ce numéro par scrupule, je dois y renoncer encore si tout ce qui me porterait à l'écrire ne venait que de l'occasion Claude Roy. Je n'aurais pas beaucoup d'estime pour une détermination inspirée par un tel motif. Il faut se

1. Le numéro d'*Empédocle* mentionné est le numéro 1, d'avril 1949, où figuraient des articles de Camus, Grenier et Guilloux.

sentir libre à l'égard des choses. Je veux dire qu'il faut être libre et ne rien faire autrement.

11 novembre. Entrefilet dans Libération, *à la fin de la rubrique « La vie littéraire par Claude Roy »*

Nous avons reçu, à propos de l'avant-dernière chronique de Claude Roy, consacrée à la réédition de deux livres de Louis Guilloux, *Compagnons* et *La Maison du peuple* une lettre de ce dernier relative en particulier au passage où notre collaborateur traite de la préface d'Albert Camus. Nous publierons demain la lettre de Louis Guilloux et la réponse de Claude Roy.

12 novembre. « Une lettre de Louis Guilloux à Claude Roy[1] *»,* Libération

Paris, 30 octobre 1953

Monsieur le Directeur,
Votre journal du 28 octobre dernier publie sous la signature de Monsieur Claude Roy un compte-rendu de deux de mes ouvrages : *La Maison du peuple* et *Compagnons*, réunis en un volume précédés d'un avant-propos d'Albert Camus. Ce compte-rendu est fait de deux parties à peu près égales. La première, consacrée aux ouvrages, ne contient que des éloges. La deuxième, consacrée à l'avant-propos, ne contient que des injures. Il est probable

1. Entre crochets, les variantes du manuscrit [LGC 1.3.3].

que les éloges, outranciers du reste, ne sont tels que pour faciliter à Monsieur Claude Roy l'outrance dans l'injure à Albert Camus. J'ai le droit de le penser, et le devoir de protester. D'abord, il n'est point dans mes habitudes de laisser insulter mes amis chez moi. [Biffé dans le manuscrit : « Que Monsieur Roy remporte donc ses fleurs. »] Deuxièmement, il n'est point non plus dans mes habitudes de me laisser insulter moi-même. Or, c'est le fait. S'il est vrai, comme le prétend Monsieur Claude Roy, que *La Maison du peuple* est une bombe, et que, dans son avant-propos, Albert Camus s'est chargé de « désamorcer cette bombe », il devient clair [biffé dans le manuscrit : « comme le jour »] que j'y ai pour le moins consenti. Et, dès lors, je n'ai plus que le choix : ou bien je suis un imbécile, ou bien un traître, ou peut-être encore, un habile. Mais j'attends que Monsieur Claude Roy me le dise en propres termes, et en face. Je compte, Monsieur le Directeur, sur votre courtoisie, pour rendre publique, dans votre prochaine chronique littéraire, cette protestation, ajoutant encore, pour que les choses soient bien claires, qu'il n'est pas un mot de l'avant-propos d'Albert Camus auquel je ne souscrive pleinement.

Veuillez agréer, Monsieur le Directeur, mes salutations.

Louis Guilloux.

Et « La réponse de Claude Roy »

Rendant compte, il y a quinze jours, de l'admirable *Maison du peuple*, de Louis Guilloux, je disais que ce livre avait fourni à Albert Camus l'occasion d'écrire une bien méchante préface, et d'une inacceptable démagogie. *Libération* a reçu, à ce propos, de Louis Guilloux, une lettre de protestation où il assure, ce qui est assez curieux, que les éloges que j'ai fait [*sic*] à son livre ne sont tels que « pour faciliter à M. Claude Roy l'outrance dans l'injure à Albert Camus » [*sic*], qu'insulter Albert Camus, c'est l'insulter lui-même, et « qu'il n'est pas un mot de l'avant-propos d'Albert Camus auquel [il] ne souscrive pleinement ».

Je répondrai à Louis Guilloux que je suis fâché qu'il se soit donc mis, à la suite d'Albert Camus, dans un bien mauvais pas. Que j'estime, moi aussi, qu'insulter mes amis, c'est m'insulter moi-même. Et que le texte d'Albert Camus auquel il souscrit pleinement est à la fois mensonger, et grossier. Voici ce texte intégralement [suit la citation des deux premiers paragraphes de l'avant-propos de Camus].

Ce texte appelle les observations suivantes :

1°) Je ne vois, pour parler « au nom du prolétariat » comme le dit A. Camus, que les dirigeants des partis et syndicats ouvriers, dont personne n'a jamais songé à nier que les dirigeants soient pour quatre-vingt-dix-neuf pour cent d'entre eux d'origine prolétarienne, et les adhérents également.

2°) Parmi les écrivains progressistes qui souhaitent servir le peuple, il est mensonger de dire que « presque tous sont nés de parents aisés ou fortunés ». Je peux citer au hasard trente noms d'écrivains progressistes qui ne sont absolument pas dans ce cas, de Charles Dobrzynski à René Jouglet, de B. Caceres à André Stil, mais qui ne songent à faire de leur origine ni un titre de gloire ni un certificat de talent.

3°) Je pense en effet qu'une œuvre d'art est plus belle que nourrit une expérience personnelle, et qu'on peut préférer les quelques pages de Maurice Thorez dans *Fils du Peuple*, sur son enfance de mineur, au génie visionnaire de Zola dans *Germinal*. Mais Albert Camus ne se borne pas à exprimer cette préférence. Il introduit par ce biais une discrimination intolérable, entre ceux qui subissent le péché originel d'une naissance de « parents aisés ou fortunés », et les autres.

Or il ne s'agit pas de demander hier, par exemple, à Marx ou Engels, aujourd'hui, par exemple, à Aragon ou Sartre, si leurs parents étaient riches, pauvres ou aisés, mais si leurs analyses sont exactes, leurs raisonnements justes, et — le cas échéant — leurs œuvres d'art émouvantes.

C'est peut-être une naïveté que de croire que tous les hommes, quelles que soient leurs naissances, leurs origines, leurs races, peuvent se rejoindre dans la vérité de l'esprit et du cœur. J'en suis cependant persuadé. Et de même qu'il ne me viendrait pas à l'esprit de reprendre contre Albert Camus l'argument que lui opposait la presse colonialiste lorsqu'il protesta contre l'assassinat de quatre Nord-Africains le 14 juillet, argument ignoble : « Vous n'avez pas le droit de parler en faveur des Arabes, puisque vous êtes blanc », il me semble, je le répète : bête et infâme de dire à qui que ce soit : « Vous n'avez pas le droit de parler en faveur du peuple, puisque vous êtes bourgeois. » Naître riche, naître pauvre, ce n'est jamais un tort. Penser bassement l'est toujours.

12 novembre. Note de Guilloux
dans ses Carnets[1]

« La réponse de Claude Roy est piteuse, j'ai été très déçu, mais plus déçu encore par la rencontre avec son auteur. » Il raconte alors comment Claude Roy, croisé chez Gallimard, a refusé le débat ; Guilloux : « Je vous avais demandé de me dire en propres termes et en face que je suis un imbécile ou un traître » ; Roy : « Vous êtes un bon écrivain » ; Guilloux, alors : « Vous avez très mal agi, vous avez agi lâchement » et il part sans demander son reste.

1. [LGO CII 03.02.05 f° 66 et 67].

VII

LOUIS GUILLOUX

« *Pour parler d'Albert Camus* »

1960

De ce texte, nous disposons d'une version manuscrite et d'une version dactylographiée[1]. Mais, à notre connaissance, il n'a été ni publié ni « dit » à la radio.

Pour parler d'Albert Camus en montrant comment il était familièrement il faudrait posséder la même spontanéité que lui, la même aisance et le même esprit de jeunesse. C'est par Jean Grenier que j'ai fait sa connaissance, en 1946[2]. Il avait trente-trois ans. J'avais lu *L'Étranger*, *Sisyphe*, ses éditoriaux de *Combat*. Quelque temps avant de rencontrer Camus, Jean Grenier m'avait écrit en me demandant ce que je pensais de son ancien élève ? J'ai dû lui répondre que j'aimais et admirais beaucoup tout ce que je connaissais de lui. Un matin de l'été 1946, Gaston Gallimard que je croisai dans l'escalier de la NRF me prit par

1. [LG4.1.8c].
2. Guilloux se trompe d'un an : c'est en 1945 que Camus et lui se sont rencontrés pour la première fois, comme en attestent leurs premières lettres.

le bras en me disant : « Je crois qu'on veut vous voir là-haut. » Il me conduisit dans le bureau d'Albert Camus. L'ancien élève et le « bon maître » se trouvaient là. Gaston nous laissa. Nous allâmes boire un verre à *La Frégate*. Voilà comment j'ai connu Albert Camus et comment avec le « bon maître » nous avons bu le premier verre de l'amitié. Le « bon maître » c'est ainsi que Camus parlait de Jean Grenier. « Que dirait le bon maître ? Qu'en pense le bon maître ? Comment va le bon maître ? Il l'appelait aussi « l'initiateur » — Quinze ans allaient s'écouler où nous allions bien souvent nous revoir et, à certaines périodes, vivre côte à côte. Mais comment choisir parmi tant de souvenirs, comment faire surtout pour ne rien fausser en essayant de le montrer dans sa présence amicale, familière ? Il avait tous les dons, y compris ceux de la jeunesse et de la liberté. Il n'était pas difficile de l'aimer. On était bien avec lui. Il riait beaucoup. Il adorait les plaisanteries et même les farces et pourquoi pas les calembours à l'occasion ? J'allais souvent le voir à son bureau à la fin de la journée, je le trouvais dictant son courrier à Suzanne Labiche. Il répondait à toutes les lettres et il en recevait beaucoup. Le courrier achevé, nous sortions ensemble, nous allions dîner chez lui rue Madame, avec Francine, la petite Catherine et le petit Jean qu'il me présenta l'une comme le Choléra et l'autre comme la Peste... Ou bien nous dînions en ville, avec Vivette Perret, Jean Bloch-Michel, Jean Daniel, Brisville. C'était bien joyeux. En 1948, je crois, certains d'entre nous furent invités par les Mouvements de Jeunesse à un séjour en Algérie, à Sidi Madani, à quelques kilomètres de Blida. Nous étions installés dans un hôtel près des gorges de la Chiffa. J'étais du séjour avec Brice Parain, Pierre Minet, Mohamed Dib, le si gentil Louis Parrot, lui aussi disparu depuis et si courageux devant la maladie. Albert Camus qui se trouvait alors à Alger vint passer quelques jours avec nous et nous allâmes à Tipaza en voiture. C'est un grand souvenir. Camus parlait à peine, il était tout simplement heureux. Je le revois assis sur une vieille pierre, tout souriant roulant entre ses doigts une herbe. C'est dans ce même hôtel que nous passâmes toute une soirée à chanter. Quoi ? Des chansons des rues, *L'Hirondelle du Faubourg*, *Viens Titine*. Il s'agissait de savoir qui se souviendrait le mieux des vieilles chansons que nous avions entendues au coin des rues. Nous nous sommes bien amusés ce soir-là. La naïveté, la cocasserie de ces vieilles romances nous enchantaient. Plus tard, je suis avec lui, à Belcourt, dans sa famille, et j'ai connu sa mère, une si charmante vieille dame, une grande dame. Ce qu'il y avait de bien avec lui c'est qu'il était partout le même, sans arrières pensées [*sic*], toujours proche, pariant toujours pour le meilleur même à Leysin, où je suis allé le voir quelques années plus tard, où la maladie l'obligeait à se reposer avec Michel Gallimard, et où nous passâmes une soirée si amusante encore à vouloir faire avouer au bon Lehmann qui les soignait avec tant d'amitié, un petit secret qu'il voulait garder pour lui. Ces choses-là peuvent paraître bien légères. Elles ne le sont pas. Pas plus que l'image d'Albert Camus et de Michel Gallimard, une autre fois, à Sorel, tous deux assis dans la même barque au milieu de la rivière, leurs têtes coiffées de grands chapeaux de paille, et pêchant à la ligne avec des airs de fakirs, et s'en revenant tout joyeux à la fin de la matinée, ravis d'avoir attrapé un goujon... Restons-en là, pour aujourd'hui[1]. Ne disait-il pas lui-même que l'art est de ne jamais insister ?

1. Jean Grenier lui fait écho quand il lui dédicace ainsi son livre, *Albert Camus. Souvenirs* (Gallimard, 1968) : « Pour Louis et les siens... n'ajoutons rien. »

VIII

LOUIS GUILLOUX

« *Nos liens avec Albert Camus* »

Le Petit Bleu des Côtes-du-Nord, 13 février 1960

C'est par ses éditoriaux de *Combat* et par *Le Mythe de Sisyphe* que j'ai connu Albert Camus. C'est par Jean Grenier, son maître, que j'ai fait sa rencontre, il y a près de quinze ans. Le dernier écrit publié d'Albert Camus aura été sa préface à la réimpression des *Îles* de Jean Grenier. Le maître et l'élève étaient devenus des amis. Jean Grenier est briochin. Il a fait ses études à Saint-Charles. Devenu professeur de philosophie, il a eu Albert Camus pour élève à Alger. Actuellement, Jean Grenier occupe la chaire de philosophie à Lille. Albert Camus parlait de son « bon maître » comme de l'initiateur. Le fait que Jean Grenier soit briochin n'est pas le seul lien qui rattache Albert Camus à notre ville. Il en est un autre : son père Lucien Camus est enterré au cimetière Saint-Michel, ainsi qu'une note précédemment parue ici-même, l'a fait savoir. Lucien Camus, soldat au premier régiment de zouaves, grièvement blessé à la fin de la bataille de la Marne, fut soigné, puis mourut à l'hôpital du Sacré-Cœur, rue Saint-Benoît, et fut inhumé au carré des soldats. À l'instant même où les amis de Camus l'accompagnaient au cimetière de Lourmarin, les autorités municipales de Saint-Brieuc allaient porter des fleurs sur la tombe de son père. Tous ceux qui aimaient Albert Camus seront profondément touchés par ce geste pieux. C'est pour en conserver le témoignage que j'écris ces lignes, et attester par là, son rattachement à notre terre. D'autres se chargeront de l'hommage au grand écrivain, sûrement l'un des grands hommes de notre temps. Devant le destin horrible qui le prive de son combat et de la dernière réflexion de la grande maturité, nous ne pouvons, dans le déchirement, que courber la tête.

Louis Guilloux

IX

Débats autour d'une Association
« Les Amis d'Albert Camus »

1962

En 1960, René Char disait à Grenier qu'il ne fallait pas constituer une association de ce type, « dans laquelle le comité directeur soit soumis à réélection, sinon des trublions vont diriger » ; il rappelait son expérience dans la Résistance, quand des centaines de gens avaient déclaré rallier le maquis en septembre 1944 ! « Il en sera de même pour les amis d'Albert Camus » (Carnets de Grenier, 3 mai 1960, p. 313). Deux ans plus tard, il change d'avis, sans doute sur l'amicale insistance de Gaston Gallimard, puisqu'en 1962, il prend l'initiative d'une association qui s'appellerait « Les Amis d'Albert Camus ». Dans cette affaire compliquée — et qui n'aboutira pas — Guilloux joue un rôle pivot, avec le souci de la transparence par rapport à Francine Camus.

Le 31 octobre 1962, *lettre de Gaston Gallimard à Guilloux*, attestée par la note de Jean Grenier (ci-dessous).

Grenier raconte les faits dans ses Carnets, 13 et 14 novembre 1962 : « Mardi 13 : J[ean] G[renier] téléphone le matin à Char. / Guilloux téléphone à

J[ean] G[renier] : rendez-vous au Café du Départ. Lettre de Gaston Gallimard à Louis Guilloux datée du 31 octobre : il demande à faire partie d'un "comité pour surveiller la publication des œuvres d'Albert Camus" : "Bloch-Michel, Brice Parain, René Char (qui avait pris l'initiative), Maurice Blanchot, J[ean] G[renier] *feront* partie de ce comité." / Lettre de Char reçue le lendemain matin me parlant de son initiative. / J[ean] G[renier] téléphone à Robert Gallimard. / Louis Guilloux dit avoir été pressé de voir Bloch-Michel qui doit dîner demain avec Char. Il met Francine Camus au courant… / Mercredi 14 : Louis Guilloux a été traité de gaffeur par les Gallimard : il ne devait pas m'avertir… / "Mais ce comité était dirigé contre Francine ? — Oui", répondent les Gallimard : il ne devait pas m'avertir. / Robert Gallimard téléphone à J[ean] G[renier] pour s'excuser. Il ne comprend pas le futur "feront" : on a oublié de prévenir J[ean] G[renier] mais on ne voulait rien faire sans lui… » (p. 355-356). 15 novembre 1962 : « Louis Guilloux très bien reçu par Gaston Gallimard comme si rien ne s'était passé mais celui-ci est ennuyé de savoir Francine Camus prévenue par Louis Guilloux » (p. 357).

Le 7 décembre, *lettre de Char à Guilloux* : « Cher Guilloux, Je désire, sans tarder, dissiper un malentendu qui s'est glissé, il semble, entre nous, à propos d'une pensée, d'un souhait plutôt. C'est pourquoi, ne sachant que depuis hier que vous venez souvent à Paris, je vous serais bien reconnaissant de me fixer un rendez-vous pour vous entretenir de cette pensée — souhait, des possibilités ou des impossibilités de la réaliser.

J'ajoute que c'est au sujet de Camus, qu'il n'y a dans mon esprit aucune hostilité contre qui que ce soit, qu'il est purement et simplement souhaitable que les amis *profonds* de Camus, dont vous êtes, constituent une sorte de réunion permanente au cas où leurs conseils et leurs réflexions dans certaines questions devraient être écoutés, entendus. Ce qui à mon avis ne fait aucun doute. Et cela aiderait et soulagerait Francine Camus qui, je le suppose, ne peut qu'accueillir favorablement cette suggestion, — si elle est bien comprise — puisque formulée dans l'intérêt et l'affection de l'œuvre d'Albert. Croyez, cher Louis Guilloux, à ma fidèle admiration. René Char[1]. »

Le 9 décembre, *Guilloux envoie une copie de cette lettre à Jean Grenier* en précisant : « N'en parle à personne. Il t'aura sans doute écrit aussi. Je lui réponds en lui disant que je le verrai à mon prochain passage à Paris. J'envoie aussi une copie à Francine, en la priant de n'en pas parler jusqu'à ce que nous ayons pu nous voir. Je ne voudrais pas de nouvelles complications, ni que personne ne se trompe sur mes intentions en lui communiquant cette lettre, qui sont de pure loyauté à son égard et à l'égard d'Albert. Je dirai moi-même à Char que je vous ai tenus au courant. Mais dis-moi dès maintenant ta façon de penser sur tout cela[2]. »

Le 10 décembre 1962, *lettre de Francine Camus à Guilloux* : « Je ne parlerai pas de cette lettre et je me demande s'il est nécessaire que tu dises

1. [LGC 4.1. 23].
2. [LGC 8.3.21 f° 20].

que tu m'en as parlé. Mais tu feras comme tu l'entendras. Ayant réfléchi après ta visite j'ai pensé que je n'avais rien à dire chez Gallimard ; c'était aussi l'avis du bon maître [Grenier]. As-tu dit toi que tu m'avais parlé ? Puisqu'on ne juge pas utile de m'entretenir de ces projets, je n'ai pas, je crois à intervenir avant qu'on m'en parle. J'aime à penser que les raisons de ce silence ne sont pas toutes mauvaises et qu'il peut y avoir par exemple, le désir de ne me mettre au courant que lorsque quelque chose de clair sera sorti de vos entretiens. / Je compte sur toi, sur le bon maître et aussi sur Char, qui s'est empêtré avec moi je n'ai pas encore compris pourquoi, mais dont le désintéressement vis-à-vis de l'œuvre d'Albert ne fait pour moi pas de doute. À vous trois vous saurez bien la garder d'entreprises peut-être moins désintéressées[1]. »

Le 10 décembre, *réponse de Char à Guilloux* : « Cher Louis Guilloux, Je vous remercie de tout cœur de votre lettre, qui dissipe mon appréhension. Je vous verrai donc avec grand plaisir lors de votre passage à Paris aux environs du 20[2]. »

Projet de statuts pour une association
« *Les Amis d'Albert Camus* »[3]

Membres fondateurs : Francine Camus, Jean Bloch-Michel, Jean-Claude Brisville, René Char,

1. [LGC 4.1.10].
2. [LGC 4.1.23].
3. Feuillet dactylographié non daté [LGC 4.1. 8c f° 14 à 18].

Claude Gallimard, Jean Grenier, Louis Guilloux, Brice Parain, Roger Quilliot, Jacques Lemarchand.

« L'association a pour but de fournir aux héritiers d'Albert CAMUS, dans l'exercice du droit moral que la Loi leur confère, l'assistance de quelques personnes que rapprochent leur commune amitié pour l'Auteur et leur connaissance particulière de son Œuvre et de ses intentions relatives à la diffusion de celle-ci.

À cet effet, l'Association procédera à l'inventaire des manuscrits d'Albert CAMUS (œuvres publiées, textes inédits, ébauches, carnets intimes, correspondance, documents, etc.). Elle déterminera les dispositions qui devront être prises pour assurer la conservation matérielle de ces manuscrits, et d'autre part la publication des textes inédits.

En outre, elle se prononcera sur l'opportunité des décisions à prendre à l'occasion des adaptations faites d'après les ouvrages d'Albert CAMUS, des représentations de ses pièces de théâtre.

Elle organisera ou encouragera toutes publications, expositions, conférences, ou manifestations de caractère littéraire et artistique de nature à favoriser la diffusion de l'Œuvre et de la pensée d'Albert CAMUS. Enfin, elle veillera à maintenir l'intégrité de cette œuvre et à défendre le respect du nom et de la mémoire d'Albert CAMUS. » (Titre I, article III d'un projet de statuts pour cette association.)

VIVETTE PERRET

Lettre à Louis Guilloux à la mort de celui-ci

1980

Cher Louis,

Tu es là, debout devant le café *L'Espérance*. La pipe à la main, tu guettes l'ami qui passera à coup sûr. Il sortira peut-être de chez Gallimard. Ou de l'une des rues alentour : Beaune, Verneuil, Lille, Bac, Sébastien-Bottin. L'antiquaire du coin est encore le marchand de bois qui sert aussi des assiettes de soupe.

Si c'est moi qui passe, nous voilà en route. Ton regard rit, se moque. Ta main vole. Tes paroles sont légères, coupées de : « Ah, parbleu ! Et alors ! » Tu lances un refrain. C'est que tu as passé la matinée à écrire dans la solitude, gravement. Cette promenade, le déjeuner, c'est ta récréation.

Assis devant ton assiette encore pleine (tu manges à peine, si lentement) à *La Chaumière*, à *La Chope*, *Aux Saints-Pères* ou au *Petit Saint Saint-Benoît*, tu émiettes ton tabac sur la nappe. Cent anecdotes te reviennent. Tu sais par cœur les chansons. Tu parles avec l'accent breton, anglais, russe, parigot. On apprend avec toi des bribes de tout. De tout ce qui compte : le chagrin, l'amour, le rire, la misère, la guerre, la poésie. Tu es amoureux, joyeux, désespéré. Tu sais imiter les tics des autres. Tu entends à demi-mot, et même les silences. Tu es mélancolique. Tu n'es pas dupe. Tu sais qu'on peut être heureux d'être là, à respirer l'air de Paris, à écouter sa rumeur, avec tout le contraire au cœur. Tu balances ta main comme la vie nous balance. Pas besoin de grands mots : Oui, tu sais.

Ou bien c'est un café au *Rouquet*, au *Buisson d'Argent*, à *L'Escurial*, aux *Magots*, au *Bar Bac*. Tu regardes les pigeons. Les gens qui passent, chacun avec son secret. Tu n'aimes pas celui qui se prend au sérieux. Tu dis : « Il faut être léger. » Et puis, brusquement, sans sourire : « Il faudrait tout écrire. » Ton soupir. Ton conditionnel. Notre silence. Alors, d'une pirouette : « Il l'aura, son Roman d'Amour, Gaston ! »

Voilà ce qu'il t'a demandé, Gaston, en déjeunant avec toi au *Berkeley*, ou chez *Drouant* : « Un petit roman d'amour. » Lasserre, tu y vas avec André. Tu notes au retour toutes leurs histoires, et celles de l'abbé Pierre, et celles du clochard avec qui tu as bavardé sur un banc. Et celles de petites vieilles, tes voisines, qui tirent de l'eau sur ton palier. Et les grandes histoires de cœur.

Tu disparais parfois comme un elfe : tu as sauté dans un train (tu dis : « dans le chemin de fer »). Nous ne savons pas si tu es sur le Campo — désert la nuit — à sentir « la molle odeur de la lagune ». Ou chez toi, à regarder les nuages, la pluie fine, la mer (est-ce en promenade à La Roselière ?). Peut-être es-tu « en pénitence en Suisse » ? Ou bien tu cours le monde avec les Sans-Patrie.

Et puis te voilà devant *L'Espérance*. Salut ! Tu as retrouvé ta « chambre de bon ». Tes cheveux fins, blancs, touchent ton col. Des papiers gonflent tes poches. Tu en as ramassé des histoires ! Pourras-tu les mettre en ordre ? Il y a tant de rendez-vous, de temps perdu, de rencontres dans ce grand Paris ! Pourtant, tu y reviens toujours. Tu aimes ses « gris tendres », ses bleus, ses quais, ses terrasses.

Le jour où tu as été mis en terre, le ciel s'est déchaîné. Tu aurais si bien décrit le spectacle : les arbres fous, les éclairs, les croix, la boue. Tu n'as jamais vu tes amis aussi trempés, éventés, secoués. La pluie était si violente que nos visages ruisselaient. Nous t'imaginions tout petit dans ta boîte pendue par des cordes. Tu devais ressembler à un de tes « burattini », perdu sous l'orage. Nous étions là, mouillés, défaits aussi par la peine. Et puis, nous nous sommes séchés tous ensemble dans ta maison. Nous sommes montés dans ton atelier-bureau-grenier, pour revoir tes livres, tes pipes, tes papiers. Surtout ce lieu ouvert où tu t'enfermais, loin de « la duperie parisienne », pour « paperasser », travailler « sérieusement » : écrire.

Par la fenêtre, « le cerisier très branchu et très gai », ton ciel, au loin la mer. On a entendu « la petite cloche au son maigre » du clocher de Saint-Laurent.

Tu es là, et si absent. Absent de Paris (du Dragon, des rues, des cafés). Tu m'envoies ton clin d'œil : tu as « tiré le rideau ».

Vivette Perret[1]

1. Vivette Perret, romancière, est l'épouse de Jean Bloch-Michel, grand ami de Camus.

APPENDICES

CHRONOLOGIE

1914

Le 11 octobre, Lucien Camus, le père d'Albert, meurt à Saint-Brieuc d'une blessure qu'il a reçue sur le front de la Marne ; les blessés ramenés du front sont soignés dans le lycée que fréquente Guilloux (qui a alors quinze ans).

1917

Pendant l'été, Guilloux et Jean Grenier (qui a un an de plus que lui) se rencontrent à la bibliothèque municipale de Saint-Brieuc. Malgré des personnalités et des destins très différents, leur amitié sera durable, ce dont atteste une abondante correspondance ; et aussi le livre de Jean Grenier, *Les Grèves* (écrit en 1955), où Guilloux est dépeint sous le nom de « Michel ».

1930-1931

Jean Grenier, devenu professeur de philosophie, fait lire à Camus, son élève en terminale au lycée d'Alger, les romans de Guilloux *La Maison du peuple*, *Hyménée*,

Compagnons. Il écrira plus tard dans son livre de souvenirs sur Camus : « Les livres qui l'ont touché le plus dans son adolescence, comme étant les plus proches de lui furent, je crois bien, *La Douleur* d'André de Richaud et *La Maison du peuple* de Louis Guilloux. Il se retrouvait dans ces livres d'amis à moi[1]. »

1935

Le 30 décembre, Camus écrit à Josette Chiche (à qui il a donné des cours particuliers l'année précédente) : « Si vous ne l'avez pas encore fait, lisez *Le Sang noir* de Louis Guilloux. C'est un livre cruel. Mais la vérité ne s'embarrasse pas de politesses. Ce sont des choses comme celles-là qu'on devrait lire à votre âge — et laisser la poésie pour plus tard. »

1939

Du 14 au 18 septembre : *Alger Républicain*, où Camus joue un rôle de plus en plus important et tient le « Salon de lecture », publie en feuilleton *La Maison du peuple*. La publication est interrompue après la cinquième livraison, à cause de la censure : le journal du 19 septembre présente, à la place du feuilleton, un grand rectangle blanc avec, au milieu : « *Alger républicain* devant interrompre la publication de *La Maison du peuple*, de Louis Guilloux, offrira incessamment à ses lecteurs un nouveau feuilleton. » Le 20 janvier 1940, Jean Grenier écrit à Guilloux : « *Alger-Républicain* a annoncé qu'il ne pouvait plus poursuivre la publication de *La Maison du peuple*. Tu dois être au courant[2]. »

1. J. Grenier, *Albert Camus. Souvenirs*, *op. cit.*, p. 82.
2. [LGC 8.3.6].

Le 19 août, Jean Grenier signale à Camus *Le Pain des rêves* qui vient de paraître chez Gallimard : « Louis Guilloux et Marc Bernard ont publié des souvenirs d'enfance fort réussis[1]. » *Pareils à des enfants* de Marc Bernard a également été publié chez Gallimard. Camus le lit sur le bateau qui le mène d'Alger à Marseille : le 23 août, du Panelier où il séjourne pour sa santé, il évoque cette lecture dans une lettre à Jacques Heurgon[2]. Le 6 septembre, il écrit à Grenier : « J'ai lu le très beau livre de Guilloux. Peut-être son accent m'a-t-il plus touché que d'autres. Je sais aussi ce que c'est. Et comme je comprends qu'aussi à l'âge mûr un homme ne trouve pas de plus beau sujet que son enfance pauvre ! La critique en zone libérée a été stupide pour *Le Pain des rêves*. On dirait que ça les gêne, la pauvreté des autres. Le mieux serait de n'en pas parler ou d'en parler comme les journaux. Et pourtant[3] ! » Notons que Guilloux a quarante-trois ans quand il publie *Le Pain des rêves* ; c'est l'âge auquel Camus commencera *Le Premier Homme*. Le 19 septembre, Grenier écrit à Camus : « *Le Pain des rêves* est un très beau livre en effet. *L'Étranger* aussi. Je me rappelle ma visite chez vous à Belcourt il doit y avoir dix ans. Je représentais à vos yeux la SOCIÉTÉ, mais pour moi vous n'avez jamais été "l'Étranger"[4]. » Et le 18 octobre, il ajoute : « Très bien : *Pareils à des enfants* de Marc Bernard — Lisez-le. Un son très différent de celui de Guilloux : le soleil, la pièce d'argent qui résonne sur le pavé romain n'ont rien à voir avec la rêverie bretonne. J'aime les deux — ou plutôt je n'aime que l'un, mais j'appartiens à l'autre[5]. »

1. A. Camus et J. Grenier, *Correspondance, op. cit.*, p. 72.
2. Fonds Albert Camus, Correspondance générale.
3. A. Camus et J. Grenier, *Correspondance, op. cit.*, p. 75.
4. *Ibid.*, p. 77.
5. *Ibid.*, p. 81.

Le 21 juillet, Jean Grenier écrit à Camus : « Relu *Le Sang noir* et *Le Mur*. Humanité sulfureuse et ténébreuse. Révolte à base de désespoir beaucoup plus que d'espoir[1]. » Le 29 juillet, Camus lui répond : « Vous avez raison pour *Le Sang noir* et *Le Mur*. Ce sont des œuvres mutilées. Il y a autre chose, je le sais — la part lumineuse de l'homme[2]. »

1945

Le 29 avril, Jean Grenier écrit à Guilloux : « Si tu vas un jour au cimetière Saint-Michel dis-moi comment est la tombe de mon beau-père et celle du père d'Albert Camus (enterré dans le carré des soldats 1914-1918) » ; le 3 mai, Guilloux lui répond : « Dans le carré des soldats, j'ai trouvé la tombe de Camus Lucien, appartenant à un régiment de zouaves, mort le 1ᵉʳ octobre 1914. Est-ce cela ? Si oui, tu peux dire à Camus que cette tombe est extrêmement bien entretenue (comme toutes les tombes de soldats d'ailleurs) par le Souvenir français. Si ce n'est pas cela, dis-le-moi, et je retournerai au cimetière. Sur cette tombe, sont plantés des fuschias, je crois — qui commencent aussi à fleurir[3]. »

Pendant l'été, *Camus et Guilloux se rencontrent pour la première fois.* Guilloux témoigne (en se trompant d'un an, comme le montrent les premières lettres de la présente correspondance) : « Un matin de l'été 1946, Gaston Gallimard que je croisai dans l'escalier de la NRF me prit par le bras en me disant : "Je crois qu'on veut vous voir là-haut." Il me conduisit dans le bureau d'Albert Camus. L'ancien élève et le "bon maître" se trouvaient là. Gaston nous laissa. Nous allâmes boire un verre à la Frégate.

1. *Ibid.*, p. 100.
2. *Ibid.*
3. [LGC 8.3.9].

Voilà comment j'ai connu Albert Camus et comment avec le "bon maître" nous avons bu le premier verre de l'amitié. Le "bon maître" c'est ainsi que Camus parlait de Jean Grenier[1]. »

Le 1er novembre, Guilloux écrit à Jean Grenier : « J'ai un nouveau service à te demander, très urgent. La revue anglaise, *Life and Letters* me demande un article sur la littérature en France depuis la guerre et la Libération. Je vois bien ce que je pourrais dire sur le sujet, mais hélas, je vois surtout ce que je ne pourrais pas dire, faute de ne plus vivre à Paris. Il faut que tu me viennes en aide, et que tu me fasses un court topo surtout sur l'Existentialisme. Qu'est-ce à dire ? Sartre, dont je n'ai lu que *La Nausée* (et pas *L'Étranger*) [*sic*] — Camus ? dont j'admire fort le *Mythe*, et *Noces*, mais que je ne connais pas assez pour en parler dans une revue importante comme *Life and Letters*[2]. »

À la fin de l'année, Guilloux, qui connaît bien Pascal Pia, est introduit par Camus auprès de l'équipe de *Combat*.

1946

Au tout début de l'année, Camus note dans ses *Carnets* : « À Guilloux : "Tout le malheur des hommes vient de ce qu'ils ne prennent pas un langage simple. Si le héros du *Malentendu* avait dit : 'Voilà. C'est moi et je suis votre fils', le dialogue était possible et non plus en porte à faux comme dans la pièce. Il n'y avait plus de tragédie puisque le sommet de toutes les tragédies est dans la surdité des héros. De ce point de vue, c'est Socrate qui a raison, contre Jésus et Nietzsche. Le progrès et la grandeur vraie est dans le dialogue à hauteur d'homme et non dans l'Évangile, monologué et dicté du haut d'une montagne solitaire. Voilà où j'en suis. Ce qui équilibre l'absurde

1. Voir texte en Annexes.
2. [LGC 8.3.9].

c'est la communauté des hommes en lutte contre lui. Et si nous choisissons de servir cette communauté, nous choisissons de servir le dialogue jusqu'à l'absurde contre toute politique du mensonge ou du silence. C'est comme cela qu'on est libre avec les autres[1]." »

En octobre, Camus relit *Le Sang noir* ; il en tire une méditation sur la douleur qui irradiera toute sa méditation ultérieure sur l'art et sur la vie.

Décembre : Guilloux lit le manuscrit de *La Peste*.

1947

En avril, Guilloux note dans ses *Carnets* : « Arrivé hier soir à six heures et demie. Passé à la NRF. Pour voir Camus. Il était à *Combat* où je suis allé un instant[2]. » À plusieurs reprises, il note qu'il a vu Camus.

À la mi-juin, Camus doit annuler pour raison de santé la visite qu'il avait projetée à Saint-Brieuc. Cette visite aura lieu à partir du 5 août : Camus séjourne à Saint-Brieuc avec Jean Grenier et sa femme (voir les photos). C'est alors qu'il se rend sur la tombe de son père, événement certainement marquant, mais dont il ne dit rien nulle part. Cependant, dans le deuxième chapitre du *Premier Homme*, il fera de la visite de Jacques Cormery sur la tombe de son père un moment fondateur. On peut souligner que Camus a trente-quatre ans à ce moment-là.

Dans l'été, Camus note dans ses *Carnets* un « détail » issu de ses conversations avec Jean Grenier pendant leur séjour commun chez Guilloux : « G. habitait avec sa grand-mère, marchande d'articles funéraires à Saint-Brieuc : faisait ses devoirs sur une dalle de tombeau ! »

En octobre, Camus lit *La Sensibilité individualiste* de Palante (Félix Alcan, 1909).

Camus lit le manuscrit du *Jeu de patience*.

1. Voir A. Camus, *Carnets 1935-1948*, *OC* II, p. 1039-1040 ; et sa lettre à Guilloux du 5 janvier 1946.
2. L. Guilloux, *Carnets*, *op. cit.*, p. 52.

En novembre, *Caliban* republie « Ni victimes ni bourreaux » (n° 11).

En novembre, Francine Camus transmet à Guilloux, de la part de sa sœur, Christiane Faure, une invitation à séjourner à Sidi-Madani, dans le cadre de rencontres entre écrivains français et écrivains algériens, organisées par Charles Aguesse.

1948

Le 2 janvier, Jean Grenier écrit à Camus, à propos de la venue, encore différée, de celui-ci en Égypte (elle n'aura d'ailleurs jamais lieu) : « Dans une circonstance pareille, Guilloux m'aurait écrit : Viens, ne fais pas le con ! Je ne puis le dire, et puis je n'en ai pas le droit[1]. »

En janvier, sur proposition de Camus, *Caliban* republie *La Maison du peuple* (n° 13), précédé d'une présentation : « Albert Camus vous parle de Louis Guilloux ». Ce texte de Camus est republié en février, sous le titre « Présentation de Louis Guilloux », dans le numéro 16 de *L'Arc* (l'organe des Anciens Résistants des Côtes-du-Nord), avec un portrait de Louis Guilloux par Maurice Adrey. Il sera repris comme préface à la réédition du livre de Guilloux en 1953[2].

En janvier, Guilloux note dans ses *Carnets* : « Aujourd'hui, journée médiocre, quoique fort heureusement commencée par une lettre de Camus. Espoir de le retrouver en Algérie[3]. »

Du 18 février au 23 mars, Guilloux est en Algérie, principalement à Sidi-Madani[4]. À partir du 22 février, il note jour après jour son attente impatiente de l'arrivée de Camus ; celui-ci n'arrive à Sidi-Madani, avec Francine, que le 2 mars. Pendant son séjour à Sidi-Madani, Guilloux fait trois conférences-débats, deux à Alger les 4 et

1. A. Camus et J. Grenier, *Correspondance*, *op. cit.*, p. 138.
2. Voir Annexes.
3. L. Guilloux, *Carnets*, *op. cit.*, p. 68.
4. *Ibid.*, p. 70-81.

8 mars, une à Oran le 23 mars, juste avant son départ ; Camus fait une conférence à Alger le 11 mars[1].

Le 5 mars, Guilloux déjeune avec Camus et Francine chez la mère de Camus. Le 8 mars, Camus emmène Guilloux à Tipasa ; le 9, il écrit à Jean Grenier : « Puis je suis venu à Sidi-Madani (d'où je vous écris) pour retrouver Guilloux. Celui-ci a été invité en effet à un petit séjour dans un hôtel des gorges de la Chiffa, avec quelques autres artistes. Nous y sommes depuis quelques jours et la vie y est douce. Mais G[uilloux] aspire, il me semble, à revoir les brumes briochines. Hier, nous l'avons emmené à Tipasa, par une journée resplendissante. Mais il y avait, selon lui, un excès de beauté. (Il était plus content, je crois, de déjeuner chez moi, à Belcourt.) C'était vrai d'une certaine manière, bien que cet excès me fût personnellement léger à porter. Que ce pays est beau[2] ! » Le 21 avril, toujours dans une lettre à Jean Grenier, il revient sur le sujet : « G[uilloux] était content, paraît-il, d'avoir *terminé* son voyage en Algérie. C'était le premier qu'il n'interrompait pas brusquement pour rentrer chez lui. Tous les Bretons sont-ils ainsi ? Ah ! Je ne vous ai pas dit : Je présente Tipasa à G[uilloux] par une matinée admirable, un ciel pur de février, des torrents de lumière, la beauté la plus somptueuse : "Hein ?" dis-je, de l'air du propriétaire. "Oui oui, dit Guilloux, mais s'il y avait un ou deux petits nuages[3]…" »

Le 12 mars, Guilloux note : « Hier nous sommes allés à Alger. J'ai déjeuné chez la tante de Camus, ensuite, j'ai passé l'après-midi à visiter une magnifique villa mauresque, anciennement la propriété d'un grand chef pirate, puis je me suis rendu à la faculté où Albert parlait aux étudiants. C'était plus que réussi. Nous sommes revenus en voiture, dans la nuit, à Sidi-Madani et,

1. Voir Jean Déjeux, « Les rencontres de Sidi-Madani (Algérie) (janvier-février-mars 1948) », *Revue de l'Occident musulman et de la Méditerranée*, 1975, n° 20, p. 170.

2. A. Camus et J. Grenier, *Correspondance*, *op. cit.*, p. 143.

3. *Ibid.*, p. 146-147.

dès l'arrivée, la discussion a continué très tard pour reprendre dès ce matin. Il fait un soleil extraordinaire. Je suis parfaitement content de me trouver ici et je n'ai aucun souci, en dehors de ceux que me donne la situation politique[1]. » Le 21 février, il notait d'ailleurs : « Je n'ai jamais été colonialiste mais après cette expérience, je le suis moins que jamais. Je me sens ici mauvaise conscience.[...] Je me sens parfaitement étranger, occupant[2]. »

Le 7 avril, Jean Grenier écrit à Camus : « Vraiment je suis heureux et je regrette à la fois que Guilloux et vous ayez été à Alger et que je ne m'y sois pas trouvé », et le 6 mai : « Naturellement Guilloux ne m'écrit pas. J'ai été très heureux de savoir qu'il avait *vu* un pays où j'ai tant vécu et que j'ai aimé[3]. »

En « mai-juin », dans une lettre à René Char, qui lui a demandé des noms « pour le service de presse de l'*Héraclite* [la traduction des fragments d'Héraclite d'Éphèse, qu'il vient de préfacer aux Éditions des Cahiers d'Art] », Camus ajoute quelques noms, dont celui de Guilloux, à la liste officielle du « service de presse qu'on utilise ici [chez Gallimard] pour les livres de philosophie »[4].

Le 4 octobre, Guilloux note dans ses *Carnets* : « Au cours de mon séjour [à Paris] : vu Camus. Déjeuner avec lui et les Grenier le mercredi et, le lendemain, avec lui et Christiane Faure, plus une amie oranaise de cette dernière. On répète *L'État de siège*. Camus était en pleine euphorie[5]. »

En novembre, *Caliban* publie « La démocratie, exercice de la modestie » de Camus (n° 21).

Camus met Guilloux en relation avec Jean Le Marchand, rédacteur en chef de *La Table ronde*, une revue fondée cette année-là par François Mauriac, et dont

1. L. Guilloux, *Carnets*, *op. cit.*, p. 80.
2. *Ibid.*, p. 73.
3. A. Camus et J. Grenier, *Correspondance*, *op. cit.*, p. 144.
4. A. Camus et R. Char, *Correspondance*, *op. cit.*, p. 34-35.
5. L. Guilloux, *Carnets*, *op. cit.*, p. 85.

Camus figurait au comité directeur, avant de prendre ses distances avec la revue. Jean Le Marchand écrit à Guilloux, le 2 décembre 1948 : « Camus m'a souvent parlé de vous et partage mon désir de vous voir figurer dans notre prochain sommaire[1]. » À plusieurs reprises, Guilloux publiera des textes à *La Table ronde*, entre autres *Labyrinthe* en 1952-1953.

Le 13 décembre, lors d'un meeting du Rassemblement démocratique révolutionnaire (RDR) salle Pleyel, Camus prononce une allocution « L'artiste est le témoin de la liberté » (reprise dans *Actuelles*, *OC* II, p. 489-495), où il revient, à propos de l'artiste, sur le thème de la douleur qu'il avait développé dans sa « Présentation de Louis Guilloux ».

1949

Le 15 janvier, Camus écrit à Jean Grenier : « Oui, je suis un bien mauvais correspondant. Mais vous savez ce que c'est : on répond aux indifférents parce qu'on en a toujours le temps. Ceux qu'on aime, on veut s'étendre et on remet à plus tard. Là-dessus, le temps coule. Guilloux doit être comme ça dont je n'ai pas de nouvelles depuis trois mois. » Il lui parle d'*Empédocle*, la revue qu'il est en train de lancer avec René Char : « Guilloux collaborera au premier numéro[2] » ; c'est effectivement ce qui se passera en avril suivant[3].

Début de l'année : en compagnie d'intellectuels et de syndicalistes, Camus signe le manifeste constitutif des « Groupes de liaison internationale » ; Guilloux n'est pas parmi les premiers signataires, mais dès février 1949, il

---

1. Cité par S. Milquet, « Le *Labyrinthe* de Louis Guilloux : une possibilité de *Délivrance* ? », *L'Atelier de Louix Guilloux*, *op. cit.*, p. 165.
2. A. Camus et J. Grenier, *Correspondance*, *op. cit.*, p. 150 et p. 152.
3. Sur *Empédocle*, voir la *Correspondance* entre A. Camus et R. Char, *op. cit.*, en particulier p. 42, note 1.

est signataire d'une lettre à l'ambassadeur d'Espagne à propos de la condamnation à mort de Enrique Marco Nadal, lettre émanant de la section française des Groupes de liaison internationale. Dans les années suivantes, les deux amis signent ensemble plusieurs pétitions contre l'Espagne franquiste et l'accueil que lui font les puissances occidentales.

En février : *Caliban* publie « Madeleine Renaud », de Camus (n° 24).

En avril, paraît le numéro un d'*Empédocle* ; Guilloux y collabore aux côtés de Camus, Jean Grenier, René Char.

Pour la publication du *Jeu de patience*, Gallimard pense à un bandeau avec la citation de Camus : « Nous sommes avec Guilloux au cœur de ces terres inconnues que les grands romanciers russes ont tenté d'explorer. »

En août, *Caliban* publie « Mon plus beau souvenir d'enfance » de Guilloux (n° 30).

Le Jeu de patience paraît chez Gallimard en octobre 1949.

En octobre, Camus note dans ses *Carnets* : « Guilloux. Le malheur de l'artiste, c'est qu'il n'est ni tout à fait moine ni tout à fait laïque — et qu'il a les deux sortes de tentations[1]. »

En novembre, Camus fait une grave rechute de tuberculose ; le 7 novembre, il écrit à René Char : « Je vous écris du lit. Une rechute de ma vieille maladie. Six semaines à l'horizontale et puis ce seront des mois de montagne[2]. »

Le 26 novembre, Guilloux perd sa mère.

Décembre : *Caliban* publie le texte complet de *Compagnons* avec une présentation de Maurice Nadeau, « Avez-vous lu Guilloux ? » (n° 34).

Le 2 décembre, le prix Renaudot est décerné à Guilloux pour *Le Jeu de patience*.

À la fin de l'année, Camus note dans ses *Carnets* : « Guilloux. "Finalement, on n'écrit pas pour dire, mais pour *ne pas dire*[3]." » ; cette idée est fréquemment émise

1. *OC* IV, p. 1060.
2. A. Camus et R. Char, *Correspondance, op. cit.*, p. 49.
3. *OC* IV, p. 1067.

par Guilloux ; voir par exemple dans *Absent de Paris* (1952) : « Je pense qu'on n'écrit pas pour dire, mais pour cacher[1]. »

1950

Pas de lettres entre les deux amis, mais des rencontres fréquentes à Paris, quand ils y sont : pour rétablir sa santé, Camus fait de longs séjours de moyenne montagne (à Cabris jusqu'en juin, dans les Vosges puis en Savoie à l'automne) ; Guilloux sillonne l'Europe pour la vaste entreprise de la Société européenne de la Culture, créée cette année-là à Venise, à l'initiative du philosophe Umberto Campagnolo, pour « favoriser le dialogue, la coopération, la paix et une Europe unie » ; il séjourne également beaucoup à Venise. Mais, à chaque retour, il mentionne Camus ; par exemple, le 4 octobre : « Je voudrais tant être à ce petit café aux Zattere. [...] Je suis chez Claude Gallimard. Demain, je verrai Camus[2]. »

Le 13 février, Camus écrit à Jean Grenier : « Guilloux, couronné par Théophraste Renaudot, nage dans la joie et les succès. J'en suis heureux, bien heureux pour lui qui méritait vraiment d'être "reconnu". (On dit même qu'il a acheté des souliers à triple semelle et un pardessus businessman.) Il est vrai aussi qu'il a six ou sept millions de droits d'auteur. La pluie d'or, quoi ! Il faisait plaisir à voir quand j'étais encore à Paris. Nous le blaguions un peu, mais tout le monde était ravi[3]. »

En février, *Caliban* publie « Les bâtons dans les roues » de Guilloux (n° 36). Dans le même numéro, pour le troisième anniversaire de la revue, Jean Daniel écrit dans un encart : « Sous quels auspices plus fidèles que ceux de Camus et Guilloux pourrait être célébré notre troisième anniversaire qui témoigne, comme nous le disions déjà

---

1. L. Guilloux, *Absent de Paris*, Gallimard, 1952, p. 9.
2. [LGO CII 03.01.02].
3. A. Camus et J. Grenier, *Correspondance, op. cit.*, p. 168.

dans notre numéro 4, d'un effort accompli en marge de tous les conformismes. »

En mars, *Caliban* publie l'acte II des *Justes* avec le sous-titre *Ajouter à l'injustice vivante pour une justice morte ?* (avec des photos prises au Théâtre Hébertot) (n° 37).

Le 7 avril, Jean Grenier écrit à Camus : « [...] depuis assez longtemps j'ai changé de méthode et ne parle plus guère que des choses qui m'intéressent. Pour la correspondance j'ai suivi la marche inverse : je me confiais (par exemple quand j'écrivais à Guilloux), et maintenant je suis gêné. » « Guilloux est allé à Louxor, a passé une semaine au Caire — ou plutôt à Héliopolis où habite la belle-famille, qui nous a offert un dîner — C'était très curieux ! Il y avait des contrastes, dont celui de la religion, de la nation, des habitudes... Mais Yvonne a l'air très heureux, Adrien (le fiancé) aussi. J'ai entendu Guilloux faire une conférence, dont il s'est bien tiré — il a lu, et dit des choses intéressantes, d'une voix bien placée. Certains passages étaient un peu trop abstraits, unique reproche à faire. Il est reparti pour Venise hier. Femme, fille et fiancé s'embarquent après-demain pour Marseille[1]. » Yvonne Guilloux vient de se fiancer avec Adrien Veillon, neveu de Charles Veillon, fondateur d'un prix du Roman au jury duquel Louis Guilloux participe depuis 1947[2].

En mai, *Caliban* publie « La Justice, elle aussi, a ses pharisiens » de Camus (en réponse aux réactions au texte de mars) (n° 39). Le même numéro publie « Il faut l'avoir lu ! » où Guilloux présente *Maître et serviteur* de Tolstoï, que la revue publie en entier.

En mai, *Empédocle* publie « Brouillon d'une lettre » de Guilloux (n° 10). Ce sera son avant-dernier numéro. Camus et Char, très déçus par la revue qu'ils estiment mal dirigée, s'en retirent ; voir leurs nombreux échanges sur *Empédocle* entre mars et juin[3].

1. *Ibid.*, p. 169-170.
2. Voir lettre du 10 janvier 1948 et note 2.
3. A. Camus et R. Char, *Correspondance*, *op. cit.*, p. 59-69.

Le 22 juin, Guilloux note dans ses *Carnets* : « Ceci [le fait de rester à Paris] n'est peut-être pas très excellent pour le travail, sauf que je dispose momentanément du bureau de Camus (où j'écris en ce moment) et que cela me donne une certaine possibilité de retraite et de silence, malgré le téléphone (mais aussi le téléphone est une nécessité du moment)[1]. » Et, le 9 juillet : « Aussitôt délivré de cela, je compte faire à Albert Camus une visite que je lui ai promise. Il est actuellement à Cabris, au-dessus de Grasse, dans les Alpes-Maritimes[2]. » Ce projet ne se réalise pas mais les deux amis se voient au retour de Camus, et se retrouvent encore souvent en octobre, comme en témoignent les *Carnets* de Guilloux.

Le 27 juillet, Guilloux note : « Je viens de lire le dernier livre paru de Camus [*Actuelles* I]. Il contient à mon avis des choses très importantes. J'ai vu Camus à son passage. Nous avons eu ensemble une longue conversation sur le thème de la révolte, qui fait l'objet de l'essai auquel il travaille pour le moment[3]. »

En décembre, *Caliban* publie « Ce qui peut encore être sauvé » de Guilloux, pour la défense de la culture, et pour le développement de la Société européenne de la culture ; il cite Camus : « À hauteur d'homme, comme le dit notre ami, Albert Camus » (n° 46).

1951

En début d'année, Camus séjourne encore longuement à Cabris pour sa santé ; il termine *L'Homme révolté*.

Le 9 juillet, Guilloux note dans ses *Carnets* : « Je suis resté hier encore à Paris pour voir Grenier, que j'ai trouvé très ami. Je n'ai malheureusement pas vu Albert, et pas pu le joindre au téléphone. Je vais encore essayer de le

---

1. L. Guilloux, *Carnets*, *op. cit.*, p. 103.
2. *Ibid.*, p. 106.
3. *Ibid.*, p. 108.

voir ce matin. Je pars pour la Bretagne à deux heures[1]. » ;
et le 14 juillet : « Je voulais peindre une nuit de neige,
une vraie nuit de Noël, et je butais sur mes phrases que
je ne parvenais pas à boucler, tout comme le pauvre
héros de mon ami Albert : "Par une belle matinée du
mois de mai, une élégante amazone parcourait, sur une
superbe jument alezane, les allées fleuries du Bois de
Boulogne[2]." »

En août, *Caliban* publie une interview de Camus sur
le métier de journaliste : « Une des plus belles professions que je connaisse... » (n° 54). Dans le même numéro,
Jean Daniel signe un encart : « C'est en quelque sorte
le numéro de l'amitié ; il devait contenir des articles de
Louis Guilloux, Henri Calet, Havet, et Bénichou ; mais
ces articles ne sont pas arrivés à temps. » En dernière
page, Camus signe un texte intitulé « Une lettre », qui
répond à des attaques menées contre la revue.

Dans le manuscrit des *Carnets* de Guilloux, on lit :
« Est-ce que je vais écrire, travailler, répondre aux lettres
[...] aussi ces pages que m'a demandées Albert sur la
peine de mort... » ; et, le 14 juillet : « Je lui [un autre
interlocuteur] ai répondu, comme c'est la vérité, que je
travaillais à un écrit sur la peine de mort[3]. »

À la fin de l'année, Camus note dans ses *Carnets* :
« Guilloux, de Chamson : "Pour lui, l'autre n'est que l'in-
terrupteur possible[4]." »

En novembre, Guilloux note dans le manuscrit de ses
Carnets une idée de roman : « Comment pourrait commencer ce roman (d'amour) et dans quel décor : probablement dans le décor d'Alger, à partir du souvenir de la
conversation avec Dib, le jeune Arabe[5]. » À Sidi-Madani,
début 1948, Guilloux a été très marqué par sa rencontre
avec Mohammed Dib (1920-2003) qui, à ce moment-là,

---

1. *Ibid.*, p. 143.
2. *Ibid.*, p. 144.
3. [LGO CII 01.01 f° 221].
4. *OC* IV, p. 1122.
5. [LGO CII 03.01.03 f° 9].

n'est pas encore le grand écrivain que l'on sait, puisque son premier roman, *La Grande Maison*, est publié en 1952.

En décembre, Guilloux traverse une crise très grave avec sa femme Renée — qui lui fait envisager de quitter Saint-Brieuc définitivement[1].

1952

Les deux amis s'écrivent peu car ils se voient beaucoup à Paris : suite à une crise violente avec sa femme, Renée, Guilloux s'est installé au 17 rue de l'Université, chez Claude Gallimard.

Le 24 janvier, Guilloux note dans ses *Carnets* : « Camus très contre la SEC. [Société européenne de culture]. Pas du tout d'accord avec l'appel [à un dialogue Est-Ouest]. Va donner sa démission[2]. » De fait, Camus écrit à deux reprises à Umberto Campagnolo, fondateur de cette Société, le 6 mars pour démissionner et le 3 avril pour préciser ses raisons : il lui semble que, dans son souhait que puissent dialoguer des intellectuels des deux camps, Campagnolo passe sous silence ce à quoi il dit non, ce qui fait craindre à Camus les pires ambiguïtés[3]. Camus se sent plus proche du Congrès pour la liberté de la culture, nettement anti-communiste : il a fait partie des quarante-trois Français qui ont « patronné » sa fondation à Berlin en juin 1950, contribuant, aux côtés d'Arthur Koestler et Manès Sperber, à la rédaction du « Manifeste aux hommes libres » [merci à Roselyne Chenu pour ces renseignements]. Guilloux, lui, reste très lié à l'entreprise de la SEC, dont Liliana Magrini est longtemps la secrétaire.

Le 30 janvier, Guilloux note dans ses *Carnets* : « Camus me montre des cahiers de notes, réflexions, etc. portant les dates 1935-1951 et me demande, quand il aura fait faire copie de ces cahiers, d'en garder une chez moi.

1. [LGO CII 03.01.03bis f° 104].
2. L. Guilloux, *Carnets*, *op. cit.*, p. 201.
3. Voir *OC* III, p. 892-895.

Il déposera les autres chez deux autres amis[1] » ; et, le 22 février : « Avant de quitter Paris, j'ai fait une chose que, de ma vie, je n'avais encore faite : enveloppé certains papiers, lettres, carnets de notes, ébauches, etc. avec la recommandation de les remettre à Albert Camus, pour le cas où... ceci, d'accord avec lui, bien sûr[2]. »

Le 30 janvier, Guilloux s'installe dans sa « chambre de bon », une mansarde au 17 rue de l'Université, chez Claude Gallimard.

Le 1er février, Guilloux note : « Hier matin je suis allé chez Madame Bouvry, lui porter mon conte de *Botteghe Oscure* "Le muet mélodieux", lequel plaît beaucoup à Camus, et que Claude Aveline veut publier dans une petite édition hors commerce. Et, dans ce cas, j'offre mon *Muet mélodieux* à Albert[3]. » *Botteghe Oscure* est une revue littéraire internationale créée à Rome par Marguerite Caetani en 1948 ; elle durera jusqu'en 1960 ; René Char y joue un rôle essentiel ; « Le Muet mélodieux » y paraît en 1951. On trouve une « édition originale » de la nouvelle, avec achevé d'imprimer du 14 juillet 1952 pour le compte de *Florentin Mouret et ses amis bibliophiles*. C'est seulement dans l'édition de 1957 chez Fayard qu'apparaîtra la dédicace à Camus (voir la présente Chronologie, en mai 1957).

Le 6 février, Camus et Guilloux envoient ensemble un télégramme à Jean Grenier : « Heureux anniversaire Affectueusement Louis et Albert. ». Grenier répond à Camus : « Le message que vous m'avez adressé pour mon anniversaire m'a beaucoup touché. C'est un *jour* qui compte pour moi ! [...] Remerciez Guilloux de ma part[4]. »

Le 12 février, Guilloux note dans ses *Carnets* : « Je sors de chez Camus (Albert) que j'ai trouvé couché, grippé, mais de très bonne humeur et avec qui j'ai eu une conversation

1. L. Guilloux, *Carnets*, *op. cit.*, p. 203.
2. *Ibid.*, p. 206.
3. [LGO CII 03.01.08bis f° 9].
4. A. Camus et J. Grenier, *Correspondance*, *op. cit.*, p. 183.

très intéressante à propos de la liberté, du choix d'une règle, etc. "N'ayant pas de quoi devenir un moine, me dit-il, j'aurais peut-être voulu être un officier dans le désert. C'est un malheur que je sois né antimilitariste." / Nous avons parlé du très beau livre de Victor Serge, *Mémoires d'un révolutionnaire*, d'une lecture souvent très amère, mais toujours instructive et belle par la vérité[1]. »

Le 22 février, salle Wagram, meeting pour défendre des syndicalistes espagnols condamnés à mort par le régime franquiste ; sur la proposition de Camus, Guilloux y est invité à prendre la parole. Il ne le fera pas mais il assiste au meeting, où Camus prononce un « Appel pour des condamnés à mort », qui sera publié dans *Esprit* en avril 1952[2].

Le 3 mars, Guilloux note dans ses *Carnets* : « Ce matin, comme tous les jours depuis que je suis ici, j'ai passé une heure avec Albert, dans son bureau. Quel ami parfait, et quel homme pur ! Je l'aime tendrement et je l'admire, non seulement pour son grand talent, mais pour sa tenue dans la vie. [...] Hier soir comme je m'apprêtais à sortir, Camus est arrivé dans ma mansarde — chambre de bon —. Nous sommes allés ensemble aux Magots où Havet nous a rejoints un peu plus tard. Camus m'a fait lire son mimodrame plus qu'excellent. Il l'intitule : *La Vie d'artiste*. Ensuite, Havet étant venu, nous sommes allés tous les trois dîner à la Chope Danton, au carrefour de l'Odéon. La soirée s'est achevée chez Camus, devant une fine[3]. » *La Vie d'artiste* vient de paraître en février dans le numéro 8 de la revue *Simoun*.

Le 8 mars, Guilloux s'inquiète de « la publication par un certain Di Dio d'un [...] libelle intitulé *La Révolte en question* contre Albert Camus. Di Dio a essayé d'entraîner là-dedans les amis de Camus. Il y a réussi en en trompant quelques-uns. C'est une entreprise fort médiocre[4] ».

1. L. Guilloux, *Carnets*, *op. cit.*, p. 204.
2. *OC* III, p. 888-891.
3. L. Guilloux, *Carnets*, *op. cit.*, p. 207-208.
4. *Ibid.*, p. 209 et note 3.

Sur cette affaire, voir également la lettre que René Char écrit à Guy Dumur, le 3 mars 1952[1]. Pendant cette année 1952, Guilloux est du côté de Camus dans la querelle de *L'Homme révolté* mais il ne prend pas parti publiquement.

Le 20 mars, Guilloux note : « Je m'inquiète de voir Albert fatigué. Nous avons ensemble un certain projet de "fuite" en auto, je ne sais encore si oui ou non... » ; mais, le 30 mars, Camus est reparti à Cabris en raison de son extrême fatigue : « Je ne pars pas avec Camus. Il restera en voyage pendant quinze jours ou trois semaines. J'ai dit que j'avais des résolutions à prendre, et c'est vrai. Il faut faire très attention[2]. »

En mai, Camus et Guilloux se voient beaucoup. Guilloux note par exemple, le 16 mai : « Il était tard quand je suis rentré chez moi (une heure du matin) après avoir passé la soirée chez Camus à écouter un excellent enregistrement du *Don Juan* de Mozart. Il y avait là Bloch-Michel et sa femme Vivette, un ami algérien d'Albert qui avait apporté les disques et le compositeur et chef d'orchestre Leibowitz et sa femme, une belle juive américaine[3]... »

Fin mai, Liliana Magrini est à Paris ; Guilloux et elle dînent ensemble chez Camus ; elle rencontre ensuite Camus de son côté pour parler de son roman, *La Vestale*, qui paraîtra chez Gallimard en 1953, grâce à l'intervention de Camus. Dans une lettre qu'elle écrit à Guilloux le 28 juin, après son retour à Venise, elle énumère les remarques que lui a faites Camus et qui témoignent d'une lecture extrêmement précise du manuscrit, qu'il a d'ailleurs annoté ; elle cite, entre autres, « une note qu'il avait prise sur un bout de papier : "Il faut *dire* qu'il n'est pas possible de se voir dans une autre conscience[4]" ».

1. Annexes de la *Correspondance* entre Albert Camus et René Char, *op. cit.*, p. 204-205.
2. L. Guilloux, *Carnets*, *op. cit.*, p. 212.
3. *Ibid.*, p. 218.
4. [LGC 15.1.2, f° 71].

Le 16 juin, Guilloux : « Ce soir, je dînerai avec Albert, Francine, Michel et Jeanine. Ce sera, j'en suis sûr, une très bonne soirée[1]. »

Le 18 juin : « J'ai vu Camus, et Francine, qui parle du beau visage passionné de S[2]. » Il s'agit de Liliana Magrini (ils reparlent de cette expression dans leur correspondance).

Le 29 juin, Guilloux note : « Aujourd'hui dimanche 29 juin à la terrasse du Café de la Mairie, j'attends Francine Camus qui va partir tout à l'heure pour Oran, et qui au téléphone a donné rendez-vous ici où nous boirons le verre de l'adieu… Il est midi.… Francine est une charmante, j'ai passé avec elle une heure parfaite qui a commencé par notre sketch habituel, lequel consiste à s'interroger mutuellement sur la nouvelle maladie que l'on vient de se découvrir. Comme elle est dans les valises à boucler puisqu'elle part aujourd'hui même, il fallait bien que la nouvelle maladie fût du genre à la fois incurable et foudroyant et, ma foi, elle y est allée d'une angine de poitrine, ni plus ni moins. Comme ça on peut être tranquille, cela évite, momentanément, de penser à une tumeur au cerveau que l'on pourrait si facilement avoir, sans parler du cancer qui traîne, non plus que de la vieille tuberculose… etc. Ceci restitue à peu près la nature des propos que nous échangions. Francine a la dépression souriante, spirituelle, complice. Je la pousse, elle m'engueule : il paraît que je suis un salaud, une vache, et autres douceurs… Je me plais beaucoup avec elle, comme l'autre soir, à ce concert de musique italienne à la salle Gaveau[3]. »

Le 7 juillet, Camus et Guilloux signent avec René Char une lettre à M. Torres-Bodet, directeur général de l'UNESCO, contre la candidature de l'Espagne franquiste à l'UNESCO ; cette lettre est envoyée à de nombreuses personnalités pour qu'ils la signent[4].

1. [LGO CII 03.01.08 bis f° 34].
2. [LGO CII 03.01.08 bis f° 35].
3. [LGO CII 03.01.08 bis f° 40].
4. Voir *OC* III, p. 895-896.

Le 20 juillet, Guilloux note : « Il était trois heures de l'après-midi ; 'avais fait, avec Camus, le déjeuner le plus amical et le plus gai qu'on puisse faire (on dira qu'avec cela n'est pas difficile, mais enfin j'avais été très heureux)[1]. »

Le 31 juillet, Guilloux note : « Camus est parti hier pour un mois[2] » ; 3 septembre : « rentre aujourd'hui[3] » ; le 19 septembre : « La journée n'a donc pas été mauvaise, et je passerai la soirée avec Albert[4] » ; 7 septembre : « Camus ne songe ni au voyage en mer dont il m'avait parlé ni au voyage en Algérie[5]. »

Le 25 septembre, Yvonne vient d'arriver pour préparer son mariage : « Camus, chez qui nous avons pris le café, nous a, très spontanément, offert son appartement pour une réception le jour du mariage. [...] Ce soir, nous avons dîné avec les Gallimard, c'est-à-dire avec Claude, Gaston et Simone, à la Régence. Gaston, très affectueux, nous a offert les salons de la NRF pour une réception, disant que ce serait peut-être plus facile chez lui que chez Albert, et offrant de faire transporter chez Albert ce qui pourrait manquer si je pensais que, etc. Avec une très affectueuse amitié[6]. »

Le 27 septembre, Guilloux : « Aujourd'hui même, j'étais chez Camus, où il y avait Char. Après le départ de ce dernier, nous avons, Camus et moi, parlé du manuscrit de S. Dans huit jours, Madame Bouvry aura recopié le texte définitif, et Camus en aura une copie[7] » ; le 4 novembre : « Hier, j'ai rencontré dans la cour Jeanne Gallimard, qui m'a dit : "Je suis très heureuse pour notre amie Liliana. Gaston m'a dit que son livre avait été accepté d'enthousiasme." Mon premier mouvement a été de courir au télégraphe et puis je me suis ravisé : j'ai vu Camus : il m'a dit qu'il a donné sur le livre un

1. [LGO CII 03.01.08 bis f° 41].
2. [LGO CII 03.01.08 bis f° 42].
3. [LGO CII 03.01.08 bis f° 45].
4. [LGO CII 03.01.08 bis f° 48].
5. [LGO CII 03.01.08 bis f° 46].
6. [LGO CII 03.01.08 bis f° 51].
7. [LGO CII 03.01.08 bis f° 51-52].

avis numéro un et que le manuscrit est entre les mains de Dominique Aury[1]. »

Le 6 novembre, Guilloux note dans le manuscrit de ses *Carnets* : « Passé la soirée aux *Magots* avec Francine Camus. La conversation avec Francine est toujours pour moi un grand plaisir. C'est une femme de style, et intelligente. [...] Il était question de la condition des femmes. Ses points de vue tiraient de leur justesse une amertume exceptionnelle[2]. »

Le 29-30 novembre, Guilloux note : « Dîné avec Camus. C'était presque un dîner d'adieu puisqu'il part lundi pour l'Algérie et qu'il y restera assez longtemps. Dîner fort gai cependant, qui s'est prolongé fort tard. / Je devais ce matin me rendre de bonne heure à la salle Wagram, où se tenait un meeting de protestation contre l'entrée de Franco à l'Unesco (meeting au cours duquel Camus doit prendre la parole) mais bien malheureusement j'ai été retardé, et ne suis arrivé à la salle Wagram qu'à plus de onze heures. Le meeting n'était pas achevé. Madariaga parlait, mais Albert avait déjà prononcé son discours. La salle était pleine de réfugiés espagnols parmi lesquels je me sentais heureux me souvenant de tout, parfaitement des leurs. Après Madariaga, Cassou a parlé, avec une belle véhémence. Très applaudi. Le meeting a pris fin. J'ai pu alors voir Albert, [...][3]. » Pour le discours de Camus à la salle Wagram, voir *Actuelles* II, « L'Espagne et la culture[4] ». Et le 2 décembre, chez Gallimard : « J'ai quitté ce cocktail pour aller retrouver Albert dans son bureau. Avec Suzanne Labiche il réglait les dernières affaires avant son départ. Nous avons laissé Labiche et nous sommes partis à pied, vers la rue Madame, où nous avons bu avec Francine, le coup de l'étrier. Albert partait à dix heures et demie pour Marseille, où il s'embarquera pour Alger. Nous nous sommes quittés fort amis en nous

---

1. [LGO CII 03.01.08 bis f° 55].
2. [LGO CII 03.01.04 f° 6].
3. L. Guilloux, *Carnets*, *op. cit.*, p. 229-230.
4. *OC* III, p. 434-439.

embrassant longuement. Il va me manquer beaucoup. Sans doute ne serai-je plus à Paris quand il reviendra, c'est-à-dire dans trois semaines ou un mois[1]. » Outre son habituel séjour à Alger auprès de sa mère, Camus va se rendre pour la première fois, seul en voiture, dans le Sud algérien, à Laghouat, Ghardaïa.

Le 7 décembre, Guilloux se demande : « On va republier en un volume *La Maison du peuple* et *Compagnons* : dois-je ou ne dois-je pas, ainsi qu'on me le suggère chez Grasset, donner en même temps que le texte d'Albert un texte de moi pour expliquer ces ouvrages "historiquement" : de la Maison du peuple au procès de Prague[2] ? »

Le 8 décembre, mariage d'Yvonne Guilloux avec Adrien Veillon ; la réception a lieu dans les salons Gallimard ; André Malraux est le témoin de la mariée.

Le 21 décembre, Guilloux s'indigne, avec d'autres amis de Camus, de ce qu'a fait Humo, le directeur de la revue *Arts*, qui a publié le texte de Camus, « L'artiste en prison », sans autorisation de l'auteur et sans aucune note explicative[3].

1953

Le 8 janvier, Guilloux note : « Retour de Camus hier. Il m'a paru très satisfait de son séjour en Afrique et de la pointe qu'il a poussée dans le désert, infiniment plus "maître de lui-même" qu'il ne l'était avant de partir. J'ai passé avec lui une heure hier soir dans son bureau, où Francine est venue nous rejoindre. Nous devons nous revoir aujourd'hui à la fin de la matinée[4]. »

Le 9 janvier, il note : « Ce soir, j'étais chez Albert, rue Madame (où Bloch-Michel est venu nous rejoindre).

1. L. Guilloux, *Carnets*, *op. cit.*, p. 231.
2. *Ibid.*, p. 232.
3. Voir en Annexes le récit que Guilloux fait, dans ses *Carnets* (p. 233-235), de son énergique intervention ; et voir le texte de Camus, *OC* III (p. 900-905).
4. L. Guilloux, *Carnets*, *op. cit.*, p. 239-240.

Faut-il parler de notre stupéfaction quand il nous a appris que, le jour même, il avait reçu de Wildenstein, propriétaire d'*Arts*, l'offre de prendre la direction de ce journal ? On trouvera un jour dans sa correspondance générale la lettre que je suppose très belle par laquelle il a refusé. Mais qui se fût attendu à pareille offre ? J'ai passé là, chez Albert et Francine, une soirée très heureuse[1]. » On se souvient que c'est le directeur de cette même revue *Arts* qui avait « volé » un texte de Camus en son absence, en décembre 1952.

Le 23 janvier : « De quoi voulais-je me souvenir pour mes notes marginales ? D'une heure, il y a quelques soirs, passée avec Albert, chez Maria Casarès et d'un dîner, chez le même Albert, dimanche soir, je crois, au cours duquel, voici : le cher Albert est toujours très impatient à table, quand ce n'est pas celle d'un ami ou la table du restaurant. Il est d'une sévérité retenue et moralisante [corrigé en "très douce"] à l'égard de ses enfants, qui doivent bien se tenir, manger convenablement, etc. Sans la moindre humeur, bien entendu, et je ne souligne ce côté que pour mieux faire sentir le prix de ce qui va suivre[2]. » La suite a été gardée pour la publication : « Albert présente ses enfants : Catherine, la Peste et Jean, le Choléra. L'autre jour, à table, il demandait à Jean qui venait de lire un livre : / — Est-ce que ce livre est beau ? / — Oui, dit l'enfant. / — L'histoire était intéressante ? / Oui. / — Est-ce que tu as tout compris ? / — Non. / À ce "non", je vis le visage de Camus briller de douceur. Il posa, sur la tête de son fils, une main tendre et caressante, et, me regardant tout souriant : / — La voilà, dit-il, la véritable honnêteté intellectuelle[3] ! » (les jumeaux, Jean et Catherine, ont alors sept ans et demi).

Le 29 janvier, Guilloux note : « Avant-hier après-midi, entrant dans le bureau de Camus, c'est René Char que j'y ai trouvé, tout seul, en train de signer ses exemplaires

1. *Ibid.*, p. 240-241.
2. [LGO CII 03.02.04 f° 20].
3. L. Guilloux, *Carnets*, *op. cit.*, p. 241-242.

de sa *Lettera Amorosa*. Nous avons bavardé pendant un long moment, et convenu de dîner un de ces soirs avec les Camus et les Bour, ces derniers le souhaitant vivement pour effacer les dernières ombres qui pourraient subsister encore après l'affaire de la publication du texte d'Albert ("L'artiste en prison") dans *Arts*. La date retenue a été celle de mercredi prochain[1]. »

À la mi-1953, Camus note dans ses *Carnets* : « *Guilloux*. Au début de l'occupation dans Saint-Brieuc, la ville est froide et pluvieuse, les magasins vides. C'est le matin, il marche dans la bruine et les rues désertes. Sur la place vide un Allemand passe, couvert d'une toile cirée, luisante de pluie. Alors sous le ciel bas, dans l'affreuse tristesse de l'heure, G[uilloux] entre dans l'église et prie, lui, l'athée déclaré (prière à Marie, je crois). Et il ressort. Depuis chaque fois qu'il a essayé d'écrire ce moment d'abandon ou de lâcheté (il ne sait pas dit-il), il n'a pas pu, ou osé[2]. » Cette remarque est à rapprocher de la notation de Camus dans « Éléments pour *Le Premier Homme* », le dossier préparatoire à son roman inachevé : « Guilloux et la prière[3]. »

La Maison du peuple et *Compagnons* de Guilloux sont republiés chez Grasset avec, en préface, « Présentation de Louis Guilloux », le texte que Camus avait écrit lors de la reprise du roman dans le numéro 13 de *Caliban* en janvier 1948.

Le 28 octobre, *Libération* publie une note incendiaire de Claude Roy qui éreinte la préface de Camus tout en ménageant Guilloux et *La Maison du peuple*. Camus et Guilloux envisagent de répondre tous les deux ; finalement, Guilloux répond seul ; son texte est publié dans *Libération* le 12 novembre avec une réponse de Claude Roy (sur l'ensemble de cette affaire, voir le dossier dans les Annexes).

Le 17 novembre, Guilloux note : « Il y a quelques jours,

1. *Ibid.*, p. 244.
2. *OC* IV, p. 1171-1172.
3. *OC* IV, p. 971.

Camus (Albert) a eu quarante ans. Ce grave anniversaire s'est fêté dans l'intimité, par un dîner chez Marius. Étaient présents : le héros de la fête et Francine, Jean Bloch-Michel et Vivette Perret, Jean Daniel et Marie Susini, moi-même. Ce dîner a été fort réussi, dans une grande bonne humeur. Vivette a offert à Camus (Albert), en cadeau, le plus petit livre du monde, un livre grand comme une coccinelle, bête à bon Dieu, ne contenant qu'une prière : le Notre Père. Il paraît qu'on peut la lire avec une loupe. Nous l'avons essayé, mais vainement. En lui remettant ce présent, Vivette a fait allusion à certaines tendances cachées ici et là dans l'œuvre de notre ami. Tout cela se passait en riant. / Albert m'a fait souvenir de ce que je lui avais un jour conté à propos de Péguy et du Notre Père[1]. » Le manuscrit ajoutait : « Voici : Péguy une fois converti devait comme tout catholique réciter chaque jour le Notre Père. Or, tout allait bien jusqu'au moment où il fallait dire : "comme nous pardonnons à ceux qui nous ont offensés" — Ce trait m'a été rapporté par Daniel Halévy, il y a bien longtemps. Halévy ajoutait que Péguy disait : "Je ne peux pas dire ça, je ne le pourrai jamais. Ça ne passe pas[2]." »

Le 22 novembre, Guilloux note : « Albert reste tolstoïen comme il l'a toujours été. Parlant de Tolstoï, il dit : papa ou le grand-père. Récemment déjeunant dans un restaurant près des abattoirs, il me disait que, dans ces cas-là, il éprouvait toujours une grande gêne qui lui venait surtout de la "quantité" de viande qu'on servait aux clients. Chacun avait, dans son assiette, de quoi nourrir une famille. "J'avais honte devant les garçons[3]." » Les variantes du manuscrit ne sont pas inintéressantes : « Albert devient tolstoïen. Il l'a toujours été, du reste. Quand il parle de Tolstoï, il dit : papa[4]. »

Le 23 novembre, Guilloux note : « J'ai achevé, aujourd'hui

1. L. Guilloux, *Carnets*, *op. cit.*, p. 250-251.
2. [LGO CII 03.02.04 f° 49].
3. L. Guilloux, *Carnets*, *op. cit.*, p. 252.
4. [LGO CII 03.02.04 f° 52].

même, *Parpagnacco*. Il est probable, et même certain, qu'il me restera encore assez de travail avant que je puisse considérer cet ouvrage comme bon à publier, mais les choses sont, je crois, très améliorées. Demain, j'en entreprendrai la relecture, puis je le donnerai à lire à Camus, ensuite à Malraux. Va commencer la phase des opinions des amis, et des remarques[1] » ; le 26 : « Ce soir, j'ai remis le texte de *Parpagnacco* à Camus ; demain, j'en remettrai un autre à Arland[2] » ; le 28 : « Hier vendredi, dîné chez Marius avec Camus, Bloch-Michel et Vivette. Camus avait lu soixante pages de *Parpagnacco*. Il m'en a fait de grands éloges. [...] Ce soir, dîner chez Sicart (heureusement il y aura Albert)[3]. »

1954

Le 5 mai, Guilloux note dans les *Carnets* : « La continuation des Marginales peut s'envisager malgré le mal de tête qui, ce matin, me rappelle que je suis resté trop tard avec Albert et les Bloch-Michel, et que j'ai probablement fait un trop lourd repas, ou trop bu, ce qui n'est pourtant pas le cas, je le sais[4]. »

Guilloux note fréquemment ses rencontres avec Camus, même si celles-ci lui paraissent trop rares ; il note également les nouvelles de Francine Camus, gravement malade. Par exemple, le 8 mars : « Je ne vois guère Camus tous ces temps-ci, il est malheureusement très pris par la maladie de Francine que l'on croyait à peu près guérie et qui vient d'avoir une rechute. Asthénie complète. C'est très sérieux. Il est probable que la guérison sera très lente. Tout espoir n'est cependant pas perdu[5] » ; le 4 mai : « Et suis allé retrouver Camus qui

1. [LGO CII 03.02.05 f° 81].
2. [LGO CII 03.02.05 f° 90].
3. [LGO CII 03.02.05 f° 91].
4. [LGO CII 04.01.01 f° 6].
5. L. Guilloux, *Carnets, op. cit.*, p. 286.

m'attendait aux *Magots*. En ce qui concerne Francine il n'y a rien de changé[1] » ; mais, le 25 juillet : [il habite rue de l'Université] « [...] j'ai entendu Auguste crier mon nom. Il m'appelait de la cour. Cela n'arrive jamais. Personne ne vient jamais me voir, pas même Albert qui est si souvent dans la maison[2] » (rappelons que Guilloux habite rue de l'Université, juste à côté de la rue Sébastien-Bottin).

1955

Le 13 janvier, Guilloux note : « Aux dernières nouvelles italiennes, Campagnolo, se fondant je ne sais sur quoi, m'a dit que j'étais beaucoup plus connu que je ne croyais l'être en Italie, et Camus m'a lu un passage d'une lettre de la directrice de cette association etc. (sans me le dire, il lui avait fait envoyer mes livres) lettre très favorable à certains projets de conférences[3]... »

Le 1er juillet, Jean Grenier déjeune avec Camus et note au retour dans ses *Carnets* ces jugements que Camus aurait émis sur Guilloux : « Guilloux parle de l'amour en termes élevés ; en pratique il est tout autre et même à l'opposé. Il vous lâche complètement dès que vous n'êtes plus avec lui ; il ne donne pas de ses nouvelles et n'en prend pas de vous[4]. »

Le 23 septembre, Jean Grenier écrit à Camus : « Nous pensons rentrer dans les premiers jours d'octobre. Nous nous verrons donc, avant même l'apothéose — bien méritée d'ailleurs — du *Sang noir*[5]. » Camus pense à une adaptation théâtrale du *Sang noir* (T 657) ; mais c'est seulement en 1962 que Guilloux publie *Cripure* chez Gallimard, et en 1963 qu'elle est créée à Lyon par Marcel Maréchal.

1. *Ibid*., p. 292.
2. *Ibid*., p. 319.
3. [LGO CII 04.02.05 f° 9].
4. Jean Grenier, *Carnets 1944-1971*, édition établie et annotée par Claire Paulhan, Seghers, 1991 (« Pour mémoire »), p. 164.
5. A. Camus et J. Grenier, *Correspondance, op. cit.*, p. 203.

Le 27 mars, Grenier note dans ses *Carnets* : « Camus. À Palerme (près de L'Isle-sur-Sorgue), propriété louée très cher pour y loger sa famille pendant six mois, plus sa belle-famille. Le frère d'Albert Camus n'est pas invité à prendre le café avec nous (Napoléon comble sa famille mais institue une hiérarchie)[1] » ; le 24 mai, après avoir déjeuné avec Camus, il rapporte une phrase de celui-ci à propos de Guilloux : « C'est un de ces hommes très rares, dont le cœur est fatigué et l'a été depuis longtemps[2]. »

Le 29 février, Liliana Magrini écrit à Camus : « Louis [Guilloux] vous embrasse. Il m'a dit avoir lu un nouveau récit de vous, qu'il aime profondément. J'en ai été heureuse[3]. »

Le 30 juillet, parlant de sa traduction en italien de *L'Homme révolté*, qui va paraître chez Bompiani, elle ajoute : « Louis travaille à une longue nouvelle, qui paraît marcher, me dit-il. Je veux l'espérer. Vous vous interrogez à son sujet, m'écriviez-vous. Je le comprends. De vive voix, je pourrais essayer de vous répondre : mal, quand même. Ce n'est pas facile : et encore moins, de savoir comment aider. Mais il y a une chose que je veux vous dire : vous êtes, à Paris, le seul être dont la présence lui soit vraiment secourable — et l'absence, souvent pénible[4]. »

Le 20 septembre, l'adaptation par Camus du roman de Faulkner, *Requiem pour une nonne*, est créée aux Mathurins. François Pitavy, spécialiste de Faulkner, souligne que Camus n'a pas établi son texte à partir de la traduction du roman par Maurice-Edgar Coindreau (qui ne paraîtra que début 1957) ; il explique : « [il] a dû faire son adaptation à partir d'une traduction littérale du roman

1. J. Grenier, *Carnets*, *op. cit.*, p. 187.
2. *Ibid.*, p. 194.
3. Fonds Albert Camus, Correspondance générale, chemise Liliana Magrini.
4. *Ibid.*

établie par son ami Louis Guilloux, et probablement aussi à partir du dactylogramme de la pièce, fruit du travail collectif du quatuor Faulkner-Ford-Marre-Ayers, que Ruth Ford avait envoyé à Camus en apprenant qu'il avait l'intention de monter la pièce[1]. » Dans sa Notice pour l'adaptation de Camus, David Walker livre les résultats d'une enquête approfondie sur les sources de Camus ; il aboutit à des conclusions analogues et confirme le rôle joué par Guilloux : « Pour son travail d'adaptation Camus prit comme point de départ une traduction mot à mot, établie par Louis Guilloux à partir du texte anglais du roman publié en 1951[2]. »

1957

Le 12 janvier, Jean Grenier note ce que lui a dit Guilloux, venu lui rendre visite à Bourg-la-Reine : « Albert Camus [est] distant : quand il vous voit, on sent chez lui la volonté d'approcher, mais, quand il était chez Michel Gallimard, il passait tous les matins devant ma porte et n'a jamais frappé. Il vit dans une maison meublée ou un appartement loué cinquante mille francs par mois, dans la même maison que René Char*. Nombreuses aventures féminines. La seule femme dont il vive séparé, c'est la sienne. Il gagne beaucoup d'argent. Avec Maria Casarès avec laquelle je l'ai vu danser au Barcelona, entente parfaite… *Albert Camus s'était en effet aménagé une "retraite", dans un appartement où il vivait seul. René Char habitait dans la même maison. Pendant les cinq années qui précèdent la mort de Camus, les deux locataires du 4, rue de Chalaneilles, furent très proches[3]. » Le 1er avril, le même Grenier insiste, toujours dans ses

1. Notice de *Requiem pour une nonne*, dans William Faulkner, *Œuvres romanesques* IV, édition établie par Alain Geoffroy, François Pitavy et Jacques Pothier, Gallimard, 2007 (« Bibliothèque de la Pléiade »), p. 1279, note 2.

2. Notice de *Requiem pour une nonne*, *OC* III, p. 1391.

3. J. Grenier, *Carnets*, *op. cit.*, p. 220.

Carnets : « La maison où habite Albert Camus, 4, rue de Chalaneilles, est du milieu du XIXᵉ siècle. Elle appartient au comte de Tocqueville qui ressemble beaucoup au portrait de son ancêtre, le marquis de Custine. Camus habite au troisième étage, escalier annexe, deux pièces, chambre et bureau, meublées (cinquante mille francs par mois, dit Guilloux)[1]. »

En mai, une nouvelle de Guilloux, « Le Muet mélodieux », qui avait été publiée en 1951 dans *Botteghe Oscure*, paraît dans *Les Œuvres libres* (Arthème Fayard, n° 132, p. 65-86) avec une dédicace à Albert Camus (voir la présente Chronologie, à la date du 1ᵉʳ février 1952).

Le 16 octobre, le prix Nobel de Littérature est décerné à Camus ; il le recevra à Stockholm le 10 décembre suivant.

Le 17 octobre, Jean Grenier note dans ses *Carnets* : « Albert Camus, chez Gallimard, cocktail pour le prix Nobel. Guilloux gêné et malheureux. Albert Camus se prête à toutes les exigences des photographes » ; le 22 octobre, il note : « A[lbert] C[amus]. "Guilloux m'a dit qu'il avait été obligé de refuser à un journal l'article que celui-ci demandait : 'Je suis son ami, mais aussi l'ami de Malraux.'" Il a donc refusé d'écrire sur Albert Camus, prix Nobel. »

Le 30 octobre, Jean Grenier note : « Restaurant Gafner, 14, rue Dauphine : Moinot, Kanters, Jules Roy, Ph. Hériat, R. Queneau, G. Sigaux, Guilloux, G[renier], Camus, Audisio... Sur l'initiative de Philippe Hériat, [réunion] pour le prix Nobel, contre les attaques dirigées contre Camus. Albert Camus a voulu un petit nombre de personnes. Hors d'œuvre, gigot bretonne, fromages, glaces, beaujolais Saint-Amour (maison Pyat à Mâcon)[2]. »

Liliana Magrini, romancière et journaliste, publie sa traduction de *L'Homme révolté* en italien.

1. *Ibid.*, p. 228.
2. *Ibid.*, p. 244.

1959

Camus lit le manuscrit des *Batailles perdues*.

1960

Le 4 janvier, Camus meurt dans un accident de voiture. Guilloux, immédiatement accouru, est de ceux qui veillent son cercueil à Lourmarin, la veille de son enterrement.

Le 23 janvier, Guilloux écrit à Jean Grenier : « Je pensais vous revoir tous les deux à mon retour à Paris, le vendredi [8 janvier], mais je ne l'ai pas pu, je suis reparti tout de suite pour Saint-Brieuc, que j'ai quitté le dimanche suivant pour aller à Sorel à l'enterrement du pauvre Michel [Galli-mard, grièvement blessé dans le même accident de voiture que Camus, et qui vient de mourir ; il est enterré à Sorel, en Eure-et-Loir, où il avait une maison]. Quelle terrible semaine. Je suis rentré brisé. Depuis, je ne sais que faire, je ne pense pas à autre chose, et je n'ai rien à dire, je voudrais bien te voir. Il est probable que j'irai à Paris la semaine prochaine. Je te téléphonerai tout de suite. Mais si je tardais, écris-moi un mot, ne serait-ce qu'un mot de présence. La voix, le visage d'Albert me hantent. Pendant que nous étions à Lourmarin, le maire de Saint-Brieuc accompagné de deux ou trois personnes, est allé porter des fleurs sur la tombe du père d'Albert, enterré comme tu le sais, au cimetière Saint-Michel dans le carré des soldats. » Le 25, Jean Grenier lui répond : « Tes sentiments sont les miens. On ne peut pas penser à autre chose. » Le 3 mars, il lui écrit encore : « Je pense tout le temps à la même chose et ne crois pas pos-sible cet événement si réel. À la peine se mêle l'épouvante » ; et le 5 mars, Guilloux lui répond : « Je t'envoie le *Petit Bleu* contenant les lignes sur Albert. Je crois que je devais faire cela. Je l'ai fait dans un moment bien difficile. Oui, je te comprends, dans la pensée que tu me dis, et je suis avec toi[1] » (voir en Annexes cet article de Guilloux).

1. [LGC 8.3.19].

Le 8 février, Jean Grenier note dans ses *Carnets* ce que lui aurait dit Louis Guilloux : « En fin de compte, le bourgeois du XIXᵉ siècle qui trompe sa femme et le lui cache, qui est hypocrite, agit mieux ainsi qu'Albert Camus qui, par fierté, n'a pas voulu cacher à Francine qu'il ne l'aimait plus et ne voulait plus vivre avec elle. Albert Camus avait beaucoup de femmes : il n'en refusait aucune, mais la liaison durait peu. Il désirait posséder (Don Juan) et aussi être aimé[1] » ; Guilloux lui aurait dit aussi : « Pierre Gallimard conduit à cent soixante-dix à l'heure. C'est Albert Camus qui a remis sa femme Janine à Michel Gallimard. Quelle légèreté de la part de Michel Gallimard de prendre la responsabilité de la vie d'un homme comme Albert Camus[2] ! »

Guilloux note dans ses *Carnets* : « Dimanche 20 mars 1960. Le rêve de la nuit dernière était que je faisais évader Albert de prison. Nous étions dans la rue, je venais de l'entraîner, il hésitait à me suivre et je comprenais que, pour un instant, il *souhaitait* retourner dans la prison, puis, il se laissait convaincre, ou plutôt il se convainquait lui-même (il n'y avait pas de paroles entre nous) et me suivait, mais avec un sourire étrange[3]... » Voir en 1972, dans la présente Chronologie, un autre rêve, proche de celui-ci, à moins que ce ne soit une autre version du même rêve.

1961

Le 22 février, à la suite d'une émission télévisée sur Camus, Guilloux écrit à Jean Grenier : « J'ai assisté hier soir à la télévision sur Albert, il m'a semblé qu'elle a été faite avec assez de respect. Y as-tu assisté toi-même ? Cela a été un moment très difficile. — Je t'en reparlerai. » Le 24, Grenier lui répond : « De toute façon je comprends

---

1. J. Grenier, *Carnets, op. cit.*, p. 304-305.
2. *Ibid.*, p. 305.
3. [LGO CII 07.01.05 f° 56].

mieux qu'on fasse servir la T.V. aux vivants. On craint toujours pour les disparus. Pour Camus j'ai vu le film. Il y avait de très bons passages — pas assez de choix. Tu étais bien. Pourtant les visages sont un peu déformés, et les portraits de Camus très allongés[1]. »

Le 23 novembre, Guilloux écrit à Jean Grenier : « J'ai reçu la visite d'un monsieur Mazé (commandant J. Mazé, président du Souvenir Français) qui venait me faire part du projet qu'il a de faire mettre une plaque sur la tombe du père d'Albert, plaque qui porterait : Père d'Albert Camus, écrivain, prix Nobel de Littérature, 7-11-1913 4-1-1960. — Cette plaque serait inaugurée le 4 janvier prochain, ce qui donnerait lieu à une petite cérémonie, avec la municipalité, et quelques élèves des écoles. J'ai dit à monsieur Mazé que je trouvais son projet bon, et je lui ai conseillé de t'en faire part, et d'en faire part à Francine[2]. »

1962

Le 8 janvier, Guilloux envoie à Jean Grenier deux coupures de journaux : les comptes rendus, dans *Ouest-France* et dans *Le Télégramme de Brest* du 8 janvier, de la cérémonie d'inauguration d'une plaque commémorative sur la tombe du père d'Albert Camus au cimetière de Saint-Brieuc : « Voici les coupures de journaux sur la cérémonie d'hier matin au cimetière Saint-Michel. Je les envoie aussi à Francine. Je ne pensais pas me trouver dans ce cas-là quand il y a une dizaine d'années, j'ai conduit Albert sur la tombe de son père[3]. »

Le 12 septembre, Jean Grenier rapporte des propos que Guilloux lui a tenus à propos de Camus : « Amour réciproque avec Maria Casarès, qui a la superstition des gens de théâtre. Albert Camus, homme d'aucun milieu, pouvait donc s'accorder avec une actrice, une femme de

1. [LGC 8.3.20].
2. [LGC 8.3.20].
3. [LGC 8.3.21].

tous les milieux. Maria Casarès était très tendre… Albert Camus avait un tempérament de fasciste : sa morale (la "pitié") était voulue ; il se présentait comme un chef (comme Malraux). Très nietzschéen. Il pouvait passer une journée à pêcher à la ligne dans la maison de Michel Gallimard en Normandie[1]. »

Le 15 septembre, Jeanne Sicard, très proche de Camus à Alger dans les années 1930, et qui avait ensuite bien connu Guilloux, entre autres autour du *Petit Bleu des Côtes du Nord*, est tuée dans un accident de voiture.

Le 22 septembre, Jean Grenier rapporte dans ses *Carnets* des propos de Guilloux : « "Par loyauté", Albert Camus demeure un an sans voir Maria Casarès : c'était avant la crise d'Oran. "Je n'aurai pas le temps de finir", dit-il un jour en parlant de son œuvre… Il me montre un jour un revolver dans le tiroir, faisant allusion à un suicide possible. Il parlait toujours de *bonheur*. Il n'était pas seulement un Don Juan, aimant les femmes, mais, aimé des femmes, il n'en refusait aucune. […] / Pour parler d'Albert Camus : ne pas être trop schématique. Il faut être ou très personnel ou commentateur de l'œuvre[2]. »

Le 9 octobre, Guilloux écrit à Jean Grenier : « J'ai aussi déjeuné chez Francine qui regrettait bien que nous ne nous soyons pas vus là-bas [à Simiane] avec vous trois. […] Tout s'est passé très amicalement. Il a été question de la préface à la Pléiade. J'ai dit que tu y travaillais mais sans donner le moindre détail. À propos, sois assuré de ma discrétion. Caen m'a posé la même question. Je lui ai fait la même réponse[3]. » Jean Grenier rédige la préface du premier tome des œuvres de Camus, *Théâtre, récits, nouvelles*, qui paraît chez Gallimard.

Le 10 décembre, Francine Camus écrit à Guilloux : « J'aimerais bien que la vie te soit plus douce. Je t'embrasse fraternellement[4]. »

1. J. Grenier, *Carnets, op. cit.*, p. 351.
2. *Ibid.*, p. 352-353.
3. [LGC 8.3.21].
4. [LGC 4.1.10a].

En novembre-décembre 1962, surgit une affaire compliquée autour d'un projet d'une Association des amis d'Albert Camus, officiellement destinée à aider Francine Camus dans la publication des inédits laissés par celui-ci à sa mort ; certains soupçonnent que la maison Gallimard joue un rôle peu net. Il semblerait que Guilloux, d'abord tenu à l'écart puis mis au courant par Grenier, tente un compromis (voir documents en Annexes). Le projet reste sans suite.

1963

Le 23 septembre, Jean Grenier rapporte dans ses *Carnets* des propos de Guilloux : « Albert Camus, raccompagné par Louis Guilloux jusqu'à sa porte, 29, rue Madame, le quitte en disant : "Et maintenant, au bagne !"... Il se plaisait quelquefois à prendre des airs de mauvais garçon, avec son trench-coat et les mains dans les poches. Il se plantait devant la vitrine d'un bijoutier pour voir... Son mariage : simplement, il n'avait pas épousé la femme qu'il lui fallait. Une actrice aurait mieux valu pour lui. Cependant, il l'aurait trompée, mais il disait que Maria Casarès le lui permettait. Enfin, il voulait avoir une liberté absolue[1]. »

En octobre, Jean Grenier note : « Guilloux à Bourg-la-Reine. Albert Camus lui montrant les épreuves (ou le manuscrit ?) de *La Peste* pour corrections éventuelles, lui dit : "C'est une honte de donner cette ordure à l'impression", mécontent de la forme de l'œuvre sans doute[2]... »

1964

Le 11 janvier, Guilloux est à Paris pour l'inauguration du buste de Camus à l'Odéon.

1. J. Grenier, *Carnets, op. cit.*, p. 370-371.
2. *Ibid.*, p. 372.

En janvier, Guilloux sert d'intermédiaire entre les Gallimard et Francine Camus sur l'épineuse question de la publication des *Carnets* de Camus.

Le 21 mai, Jean Grenier consigne dans ses *Carnets* une réflexion de Guilloux à propos de Camus : « Albert Camus aurait pu être un homme de violence pure mais son idéal contrariait sa nature[1]. »

Le 9 décembre, Jean Grenier écrit à Guilloux : « Philippe Soupault m'a demandé de parler de Camus à Radio-Strasbourg (l'enregistrement pouvant être fait à Paris ou même lu par un "comédien"). J'ai accepté et pensé à toi aussi. Pourrais-tu écrire quatre pages environ qui seraient lues ou dites par toi à Paris — sur A[lbert] C[amus] "en vacances", "relaxé", comme on dit, récitant une poésie favorite ou une chanson populaire ? Rémunération environ quatre cents francs[2]. »

1965

Le 23 novembre, Guilloux envoie à Jean Grenier deux coupures de journaux du 22 novembre, l'une d'*Ouest-France*, l'autre du *Télégramme de Brest*, rendant compte de l'« Hommage à Camus » qui a eu lieu au Centre culturel de Saint-Brieuc ; il écrit : « Dans quelques jours je t'enverrai des photos. Tu peux bien imaginer dans quel état je suis au milieu de tant de choses douloureuses — et du "public" — mais il fallait le faire[3]. »

1. *Ibid.*, p. 383.
2. [LGC 8.3.23].
3. [LGC 8.3.24].

Le 26 juin, en errant dans les rues de Paris, Guilloux rencontre Francine Camus ; elle « ne m'a pas semblé très heureuse », note-t-il dans ses *Carnets*[1].

Le 27 juin, il note : « Sur les questions de fond et d'expression, je suis décidé à mettre le "paquet". C'est ce que je veux faire. Et si je n'y parviens pas tout sera foutu à jamais. Le "paquet". C'est ce que me disait Albert, ayant achevé *La Chute*. "Cette fois, j'ai mis le paquet[2]" ».

Le 21 août, Guilloux note dans ses *Carnets* : « Je devais partir aujourd'hui pour Cabris où aura lieu demain le mariage de la petite Catherine Camus. Je ne le puis, pour des raisons de distance, de fatigue, aussi d'argent. Cela ne me semble guère possible. Je le regrette énormément. Il va falloir se contenter d'un télégramme. J'aurais beaucoup voulu qu'il pût en être autrement[3]. »

1968

Le 5 janvier, Guilloux note dans ses *Carnets* : « Hier, 4 janvier, était le huitième anniversaire de la mort d'Albert. Je pense toujours beaucoup à lui, je n'ai jamais oublié cette date cruelle où j'ai appris, par le téléphone, l'accident qui lui a coûté la vie et, huit jours plus tard, à Michel. Dans la matinée d'hier, Jean [Grenier] m'a téléphoné. Lui non plus n'a pas oublié[4]... »

Le 28 septembre, Guilloux note dans ses *Carnets* : « Il faudrait "effacer" le temps, écrire comme cela vient, comme on en a envie. Camus dit quelque chose comme ça dans une de ses notes de carnets. "Quand tout sera fini, dit-il, j'écrirai comme cela viendra." Je vérifierai cette

1. L. Guilloux, *Carnets*, *op. cit.*, p. 390.
2. *Ibid.*, p. 391.
3. *Ibid.*, p. 420.
4. *Ibid.*, p. 451.

note que je cite de mémoire. Quand tout sera fini veut dire : quand sera accompli le programme en vue[1]. »

1970

Le 16 janvier, Jean Grenier rapporte dans ses *Carnets* ces propos de Guilloux : « La fille d'Albert Camus, Catherine, l'appelait "le rassurant" parce qu'il la tranquillisait lorsqu'elle avait peur… Avec Maria Casarès, l'entente était parfaite. Elle était sa vraie femme : il n'y avait qu'à les voir ensemble pour voir qu'ils s'aimaient. Albert Camus a pensé à faire deux parts : l'une pour Francine et les enfants, l'autre pour Maria Casarès[2]. »

1972

Le 29 octobre, Guilloux note dans ses *Carnets* le rêve qu'il vient de faire : « Dans mon rêve, Albert n'était pas mort, il était en prison. Nous le savions tous. Il s'en évaderait sûrement, mais une action avait-elle été envisagée pour le tirer de son cachot ? Je ne sais, ni si je devais y participer, ni comment, ni avec qui. Quoi qu'il en soit, le fait est que je le retrouvai tout à coup dans la rue. L'opération avait donc réussi et c'était à moi de l'entraîner au plus vite vers une cachette sûre. Ce que je fis, sans prendre le temps d'échanger avec lui le moindre mot. Il se laissa conduire pendant quelques pas, une dizaine, une vingtaine, puis brusquement, il s'arrêta, se retourna et me dit quelques mots dont je ne me souviens plus mais qui signifiaient qu'il "préférait y retourner". Il

1. *Ibid.*, p. 469. Fin 1949, Camus écrivait dans ses *Carnets* : « Au printemps quand tout sera fini écrire *tout ce que je sens*. Petites choses au hasard » ; et « Quand tout sera fini, écrire un pêle-mêle. Tout ce qui me passe par la tête », *OC* IV, p. 1072-1073.
2. J. Grenier, *Carnets, op. cit.*, p. 517.

partit et disparut à l'instant[1]. » Françoise Lambert — qui a dactylographié beaucoup des feuillets du manuscrit des *Carnets* — note, à propos de ce passage : « La version dactylographiée — et non datée — étant sensiblement différente de celle qui est datée de 1960, je prends le parti de la placer à la fin de l'année 1972 » ; et elle met ensemble le manuscrit du rêve du 20 mars 1960 et cette dactylographie[2]. Dans la présente Chronologie, nous avons présenté séparément les deux récits de rêve.

1973

Le 2 février, Guilloux note : « Ce soir, chez Robert Gallimard, pour y rencontrer Lehmann, rencontre annuelle du bon docteur Lehmann, qui soigna Albert et Michel, qui assista Michel jusqu'à ses derniers moments lors de ce funeste accident de voiture qui lui coûta la vie, huit jours après la mort d'Albert, tué sur le coup[3]. »

1. L. Guilloux, *Carnets*, *op. cit.*, p. 515.
2. [LGO CII 07.01.05].
3. L. Guilloux, *Carnets*, *op. cit.*, p. 521.

INDICATIONS BIBLIOGRAPHIQUES

Albert CAMUS, *Carnets*, I (1935-1942), II (1942-1951), III (1951-1959), Gallimard, 1962, 1964, 1989. Voir aussi dans *Carnets* 1935-1948 (*OC* II, p. 793-1125) et *Carnets* 1949-1959 (*OC* IV, p. 997-1315).

Albert CAMUS et Jean GRENIER, *Correspondance 1932-1960*, avertissement et notes par Marguerite Dobrenn, Gallimard, 1981.

Pierre-Jean DUFIEF, « Dit et non-dit dans les carnets de Louis Guilloux », *L'Atelier Louis Guilloux*, Madeleine Frédéric et Michèle Touret (dir.), Presses universitaires de Rennes, 2012 (« Interférences »), p. 41-52.

Jean GRENIER, *Carnets 1944-1971*, édition établie et annotée par Claire Paulhan, Seghers, 1991 (« Pour mémoire »).

Jean GRENIER, *Les Grèves*, Gallimard, 1957.

Jeanyves GUÉRIN, « Guilloux et Camus : les raisons d'une amitié », *Louis Guilloux écrivain*, Francis Dugast-Portes et Marc Gontard (dir.), Presses universitaires de Rennes, 2000 (« Interférences »), p. 119-129.

Louis GUILLOUX, *Carnets 1944-1974*, Gallimard, 1982.

Écriture autobiographique et carnets : Albert Camus, Jean Grenier, Louis Guilloux, Éditions Folle Avoine, 2003. En particulier : Jacques ANDRÉ, « Camus, Grenier, Guilloux, rencontres », p. 32-40 ; Christian DONADILLE, « De l'interstice du texte à l'intertextuel : ce que Louis Guilloux n'a pas dit dans ses *Carnets* », p. 60-75. ; Yves PRIÉ, « L'ombre de Palante », p. 123-134.

Lire les Carnets *d'Albert Camus*, Anne Prouteau et Agnès Spiquel (éd.), Presses universitaires du Septentrion, 2012 (« Littératures »).

Interviews et émissions

Guilloux à *Apostrophes* le 2 juin 1976.

« Guilloux parle de Camus », le 25 mai 1974 (sur le site de l'INA).

INDEX DES NOMS PROPRES
(PERSONNES ET LIEUX)

Sauf Albert Camus et Louis Guilloux.
Les noms de lieux en italiques.

INDEX DES TITRES DE REVUES, JOURNAUX ET ŒUVRES

DES MÊMES AUTEURS

ALBERT CAMUS

Aux Éditions Gallimard

L'ENVERS ET L'ENDROIT, *essai* (Folio essais n° 41 ; Folioplus classiques n° 247).

NOCES, *essai* (Folio n° 16).

L'ÉTRANGER, *roman* (Folio n° 2, Folioplus classiques n° 40).

LE MYTHE DE SISYPHE, *essai* (Folio essais n° 11).

LE MALENTENDU suivi de CALIGULA, *théâtre* (Folio n° 64 et Folio théâtre n° 6 et n° 18 ; Folioplus classiques n° 233).

LETTRE À UN AMI ALLEMAND (Folio n° 2226).

LA PESTE, *récit* (Folio n° 42 et Folioplus classiques n° 119).

L'ÉTAT DE SIÈGE, *théâtre* (Folio théâtre n° 52).

ACTUELLES (Folio essais n° 305 et n° 400) :
    I – Chroniques 1944-1948.
    II – Chroniques 1948-1953.
    III – Chroniques algériennes 1939-1958.

LES JUSTES, *théâtre* (Folio n° 477, Folio théâtre n° 111 et Folioplus classiques n° 185).

L'HOMME RÉVOLTÉ, *essai* (Folio essais n° 15).

L'ÉTÉ, *essai* (Folio n° 16 et Folio 2 € n° 4388).

LA CHUTE, *récit* (Folio n° 10 et Folioplus classiques n° 125).

L'EXIL ET LE ROYAUME, *nouvelles* (Folio n° 78).

JONAS OU L'ARTISTE AU TRAVAIL suivi de LA PIERRE QUI POUSSE, extraits de L'EXIL ET LE ROYAUME (Folio 2 € n° 3788).

RÉFLEXIONS SUR LA GUILLOTINE (Folioplus philosophie n° 136).

CORRESPONDANCE, AVEC RENÉ CHAR (Folio n° 6274).

DISCOURS DE SUÈDE (Folio n° 2919).

CARNETS :
    I – Mai 1935 - février 1942 (Folio n° 5617).

VII – LE PREMIER HOMME (Folio n° 3320).

VIII – Camus à *Combat*, éditoriaux et articles (1944-1947) (Folio essais n° 582).

Bibliothèque de la Pléiade

ŒUVRES COMPLÈTES (4 VOLUMES).

Dans la collection Écoutez lire

L'ÉTRANGER (1 CD).

LA PESTE (2 CD).

CORRESPONDANCE, AVEC MARIA CASARÈS (1 CD).

L'EXIL ET LE ROYAUME (1 CD).

NOCES (1 CD).

L'ÉTÉ (1 CD).

Dans la collection Quarto

ŒUVRES.

En collaboration avec Arthur Koestler

RÉFLEXIONS SUR LA PEINE CAPITALE, *essai* (Folio n° 3609).

À l'Avant-Scène

UN CAS INTÉRESSANT, adaptation de Dino Buzzati, *théâtre* (Folio théâtre n° 149).

Aux Éditions Indigènes

ÉCRITS LIBERTAIRES : 1948-1960.

LOUIS GUILLOUX

Aux Éditions Gallimard

LE SANG NOIR, 1935 (Folio n° 1226).

LE PAIN DES RÊVES, 1942 (Folio n° 909).

LE JEU DE PATIENCE, 1949. Nouvelle édition en deux volumes en 1981.

ABSENT DE PARIS, 1962.

PARPAGNACCO OU LA CONJURATION, 1954.

LES BATAILLES PERDUES, 1960.

CRIPURE (pièce en trois parties, tirée du *Sang noir*), 1962. Nouvelle édition en 1989.

LA CONFRONTATION, 1967 (L'Imaginaire nº 63).

SALIDO *suivi de* OK JOE !, 1976 (Folio nº 2423).

CARNETS

   I. 1921-1944, 1978.

   II. 1944-1974, 1982.

COCO PERDU. Essai de voix, 1978 (Folio nº 2147).

L'HERBE D'OUBLI, 1984.

LABYRINTHE, 1998 (L'Imaginaire nº 397).

VINGT ANS MA BELLE ÂGE, 1999.

D'UNE GUERRE L'AUTRE, 2009 (Quarto).

CORRESPONDANCE, avec Albert Camus, 2013 (Folio nº 6732).

L'INDÉSIRABLE, 2019.

Dans la collection Grands entretiens (DVD)

ENTRETIEN, Louis Guilloux et Bernard Pivot, 2004.

  Chez d'autres éditeurs

LA MAISON DU PEUPLE, *Grasset*, 1927.

DOSSIER CONFIDENTIEL, *Grasset*, 1930.

COMPAGNONS, *Grasset*, 1931.

SOUVENIRS SUR GEORGES PALANTE (1931), *Calligrammes*, 1999.

HYMÉNÉE, *Grasset*, 1932.

ANGELINA, *Grasset*, 1934.

MA BRETAGNE (1973), *Folle Avoine*, 1993.

HISTOIRE DE BRIGANDS, *Le Passeur*, 2002.

LA MAISON DU PEUPLE *suivi de* COMPAGNONS, *Grasset*, 2004.

SOUVENIRS SUR GEORGES PALANTE : RÉCITS, *Diabase*, 2014.

CHRONIQUES DE FLORÉAL : 1922-1923, *Éditions Héros-Limite*, 2018.

DOUZE BALLES MONTÉES EN BRELOQUE, *Goater*, 2018.

Composition Nord Compo
Impression Novoprint
à Barcelone, le 05 décembre 2019
Dépôt légal : décembre 2019

ISBN 978-2-07-287634-9./Imprimé en Espagne.

360941